每個愛情都是出口

吳淡如

爲心情卸妝——自序

究竟要到什麼時候，我們才願意看見乾乾淨淨的自己呢？還有，要到什麼時候，我們才肯心甘情願的刪去，看來使你倍增光芒，但其實在阻卻你的皮膚眞正呼吸的東西？

什麼時候，我們會分淸什麼是需要，什麼是貪心；什麼是愛情的幻覺，什麼才是愛情的實相？什麼是別人想要的妳，什麼才是自己？

有很多女人，沒畫上眉毛的話，不敢走出去。包括我。

有些女人，沒有上粉底，就不敢走出門。

有些女人，沒有上胭脂，不敢見陽光，像個吸血鬼。

不是只有『老』女人才會這樣的。

女人只要稍稍沾過一點脂粉味，就很容易被制約。你看南韓的經濟已經搞成這個樣子了，化妝品的生意還是一樣好。

還有更離譜的。我聽過：有人如果沒戴假睫毛，就不敢照鏡子；有個朋友還告訴我，她若沒上睫毛膏，就會覺得自己很醜。

『沒什麼差別嘛！』有一次我在她家看見她脂粉未施的樣子，老實說，很像高中生，比

平常『外頭』看見的樣子少了很多歲，清純淨美，我覺得很可愛。她不以爲然的說：『我還是覺得自己好像是一隻最新研發出來的那種沒長毛的雞，很噁心，不不不，我還是沒有勇氣這樣子出門！』

就好像我沒有畫上眉毛和戴上隱形眼鏡的時候，希望天底下的人都像乾冰在我面前蒸發掉一樣。

如此一想，我比較能體會我祖母那個年代、某些受過日本教育的女人的心情。一個丈夫可能永遠沒有見過妻子不化妝的樣子——女人上床前還帶著精緻的妝，等丈夫熟睡之後，才偷偷的把妝卸掉，第二天清晨，丈夫還在打鼾的時候，她悄悄起身，又把無懈可擊的妝化好了，嫻淑的準備著早飯……

記得有一首目前KTV還有的歌叫『忙與盲』：忙

忙忙，盲盲盲……生活是肥皂香水眼影唇膏，許多的電話在響，許多的事要備忘，許多的門關了又開開了又關如此的慌張……忙是為了自己的理想，還是為了不讓別人失望……忙得沒有時間，痛哭一場！

還是那麼血肉淋漓的敍說著很多人出社會以後的心情啊！好像總是有某些場合，我必須很『禮貌』（女人爲了在自己臉上塗顏料，還找到了一個合乎國際標準的藉口）要上妝，要面對鏡頭，要面對認識和不認識的人，如果沒有化妝，我想我還是會像很多女人一樣高聲尖叫：『不，不要拍我！』可是，我還是覺得，人生最愉快的時候，仍是忙了一天回來，把妝卸掉的那一剎那，感覺上每一個細胞都打開了門，把空氣自然的吸進來又呼出去。

當然，這個時候，多半只有我一個人，不然，在場的就是我根本不在乎他在不在乎我好不好看的人。

有個女人曾經告訴我，讓她下定決心離開交往多年的舊情人的理由是：有一天晚上，她正要卸妝和他上床時，他忽然對她說：『不，把妝留著，我覺得這樣妳比較美！』雖然這個女人也是習於化妝的，但這句話讓她深深受傷——她想，一個不喜歡我本來面目的人，會有多愛我呢？再多的甜言蜜語也是騙人的吧？如果老了，他還會愛我嗎？當然不，他只是喜歡我的年輕，和我的皮相！

她忽然發現，其實她和他在一起這麼多年，爲了他，爲了所謂愛情，她爲自己的很多行爲也化了妝，有很多壓抑，很多無奈，爲什麼以往沒有發現呢？

她走了，她說她要尋找一個可以接受她原來面貌的人。

化了妝的感情是自己騙自己。

所謂眞正的朋友，不過是你願意素面相見的人吧；所謂的眞正的情人，也是你百分之百願意赤裸裸相對的人，願意和他交換生命、交換體溫，即使交換了心，他的心在你的胸腔內還會跳得很安穩。

這樣的情人是不好找的，也許你會說——我怎會不知道？我也覺得難找。找不到。不該怪合格的人少，要怪的可能是自己不合格——知曉世事多變，對諾言不夠放心，無法輕鬆以待；也許連自己也沒有勇氣把自己的心去了面具、卸了油彩來看個清。我在愛情之中不敢拿一生賭、一生拚。就好像我羨慕有人可以放棄一切到深山林內種青菜過日子，但只相信自己能這樣過三天。只能說，對未來心存樂觀，日日活得尚稱快樂，但不能保證未來會怎麼樣，只是願意繼續向前行。

我不像自己想像的那麼篤定而有自信。

啊，發現自己沒有自信是不是一種自信？

這一晚，我回到家，依然以愉快的心情卸了妝。面對自己乾淨的臉，我覺得並不比上妝時難看，可是我還是相信，明天出門時，我還是會畫上眉毛和口紅。不然我害怕自己連說話都少了七分力道。

男人大概很難懂這樣的心情。可是這社會上的成年男子啊！也用另外的眼影口紅在為自己化妝，而不自知。

有些人用好車為自己化妝。有些人用名牌服飾。有些人用漂亮的房子。有些人用顯赫的家世或顯赫的過去、顯赫的職位或顯赫的朋友。有些人自炫的是博學多聞和高人一等的學歷——這些都是社會爲我們，或我們爲社會所塗上的化妝品，去掉這些『化妝品』，你還有什麼沒有？

愛情有時候也只是人生的一種化妝品，去掉愛情，你還有什麼沒有？

我還有什麼沒有？

忙了一天，幾近虛脫的我，在卸妝之後神清氣爽多了，我問自己。

除去一些像化妝品的東西之外，我的生活還有什麼沒有？

忽然間，我覺得很安慰，我想到，應該還有一些，還有一些：即使我一無所有還願意愛我的人；在我完全卸妝後，也還有人可以接受我；有一隻貓和很多植物，不管我是誰，它們都需要我的照顧；有一個安靜的空間，我可以自由自在的走來走去；我還可以看書、可以畫圖、可以聽音樂，可以獨處時自得其樂……我想目前這樣就夠。卸了妝就是我要過的生活，這樣安慰自己，我仍有隱隱的快樂。

有時得為生活卸妝。看看，心還是在鮮活的跳嗎？還聽得見自己眞正的聲音嗎？赤子一般的感覺還在嗎？

你，如果不拿別人的眼光來爲自己抹粉，你還在嗎？

沒有情人的吻當唇膏，你還愛自己嗎？

CONTENTS

CONTENTS

出發

一次次鴉片的甜味，
吸引著人們向愛情迷宮出發。

曾經爲愛發過狂

想起爲過去的愛情所做的瘋狂事，你有什麼感覺？

大部分的人，大概想像松鼠一樣，把這些果實挖個洞藏起來。只是松鼠典藏橡實是要過冬的，而我們想把它徹底埋掉，埋在最陰暗的地底下，最好不要出來見天日。

我就是這種型的人。姑且名之爲『壓抑舊愛型』。這種人，客觀的說，是比較受不了過去有失敗歷史、好勝心強的類型。

不過我的朋友中也有『暴露舊愛型』的『患者』，你看她提

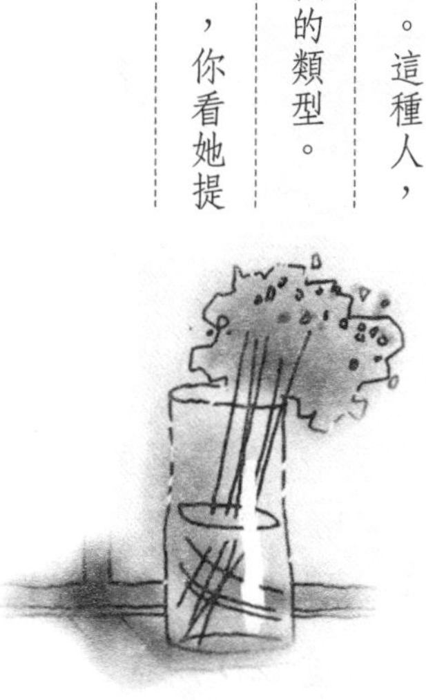

起過去『實在很丟臉』（她心裡也知道）的瘋狂事，眼睛發亮，好像一個傑出的獵人在炫耀他過去獵獸的經驗，指著牆上的麋鹿頭說：

『啊……想當初啊！』

『想當初，我們在家鄉就是青梅竹馬的同學，我從小學就以爲他一定會娶我的，談戀愛一直談到二十歲，一起到台北。有一年，他的腦袋長了腫瘤，在醫院躺了幾個月，我天天去當特別看護，看到全醫院的人都認識我，過年也沒回家……我對他的愛，眞是驚天地泣鬼神……我那時還想，萬一他完蛋了，我一輩子就抱著他的神主牌睡覺……』

沒想到，不到一年，男友有了別的意中人，跟她說：『我們認識這麼久，大家先分開來冷靜一下。』雖然沒有直接告訴她眞正的理由，但基於同鄉關係，他另結新歡的消息很快的傳到她耳朶來。

她從小立志做一個賢慧的女人，總覺得老一輩說『男人哪，只要妳肯等，遲早會發現妳的好』是眞理，她仍維持一貫的等待姿勢，想打動他，每個星期天，她還是會到男友家爲他打掃房子。

某一個星期天，還在唸大四的她早上五點就起來了，等五點半的公車，忽然想到他家去。她有鑰匙，咔啦打開門後她就楞住了。哎喲喂呀，裡頭有一個女人，和他一起窩在冬天暖烘烘的被窩裡。

男友醒來，劈頭問她：『妳來做什麼？出去說。』從被窩裡衝出來，一邊穿上睡衣，一邊把她拉出門去。她隱約看見，被窩裡的女人也坐起來，把自己的臉藏在套頭毛衣裡，她有比我漂亮嗎？她想。

兩人在門外吵了幾句，後來她委屈的哭了，男友一副受不了的樣子，忽而拔腿狂奔。他跑了，她只有追，哭著追過清晨的台北市西門町鬧區，一家燒餅豆漿店生意正好，排隊買早點和等公車的人，都目不轉睛的看著這場鬧劇。穿睡衣的男生被哭泣的清純女生追著跑的鬧劇。

衆目睽睽，她爲自己的愛情奔跑，她覺得很偉大。

雖然看到自己培養了多年感情的男友帶了別的女人回家睡覺，她還是不死心，決定對自己的愛情貫徹始終，她不斷找男友談清楚；喏，當然談不清楚，因爲不是每一件事都可以談判的，尤其是對方不愛你的時候，越談只有越糟。越想越難過的時候，她就打電話給男友，記得有一次講了很久——其實是因兩人對峙著不說話，所以公共電話拿在她手裡拿了很久，有人排在她背後，等很久等得不耐煩了，對她說：『小姐，妳可不可以快一點，我要打電話回家吩咐我兒子！』她理直氣壯的回頭瞪了那位媽媽一眼：『妳沒看見我在哭？』

理直氣壯，因爲年輕時覺得只有自己的愛情最偉大，別人都不懂。朋友百般相勸，都當做耳邊風，再茶不思飯不想的投訴對方的無情無義下去，連再好的朋友都已經不想理她了。她還是像忽喜忽悲的爲他瘋狂——也許不是爲他瘋狂，是爲了不甘愛情消失而瘋狂。

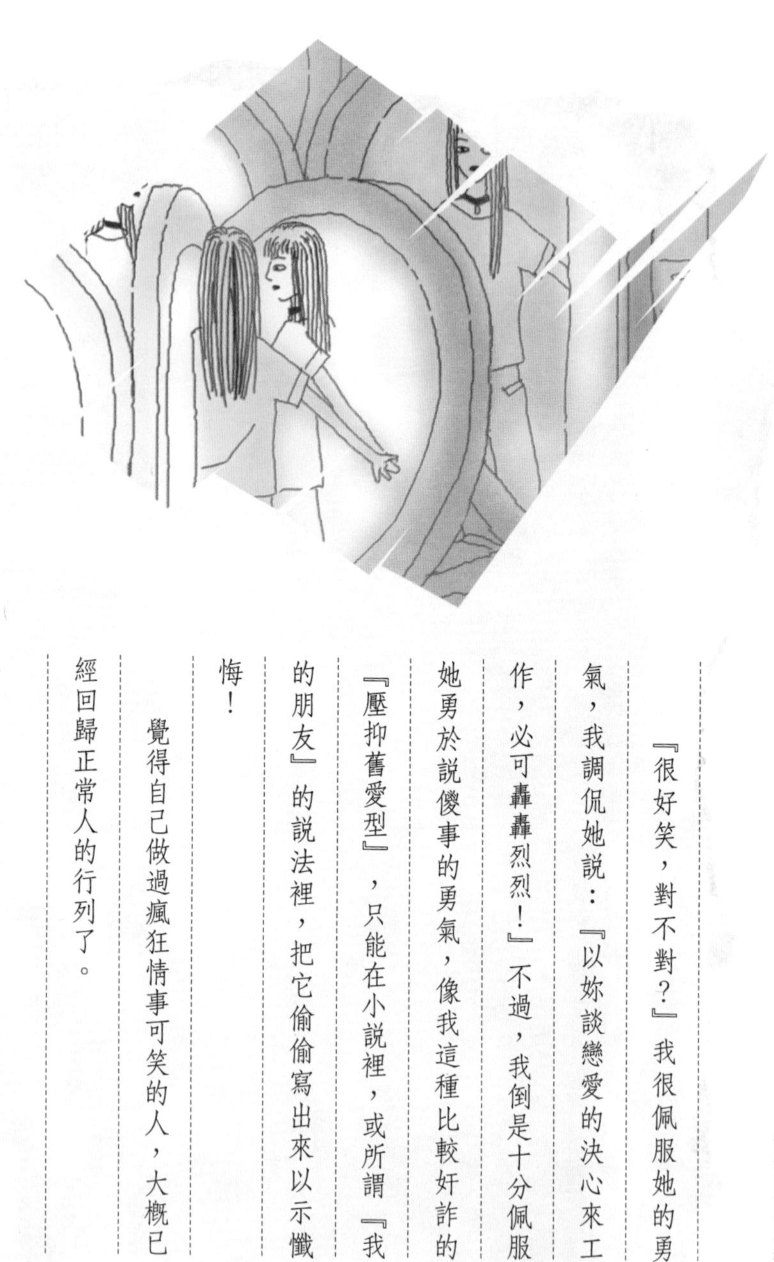

『很好笑，對不對？』我很佩服她的勇氣，我調侃她說：『以妳談戀愛的決心來工作，必可轟轟烈烈！』不過，我倒是十分佩服她勇於說傻事的勇氣，像我這種比較奸詐的『壓抑舊愛型』，只能在小說裡，或所謂『我的朋友』的說法裡，把它偷偷寫出來以示懺悔！

覺得自己做過瘋狂情事可笑的人，大概已經回歸正常人的行列了。

繼續瘋下去，瘋的時間長到讓『正常人』無法想像的人也有，這種過了頭，應該算是『耽溺舊愛型』的人，我也看過，有人花好幾十年的時間沈溺，感覺過去的瘋狂是理所當然要再持續下去。

在羅密歐茱麗葉的年紀爲愛瘋狂，比較容易體會，因爲我們都是過來人嘛！但過了

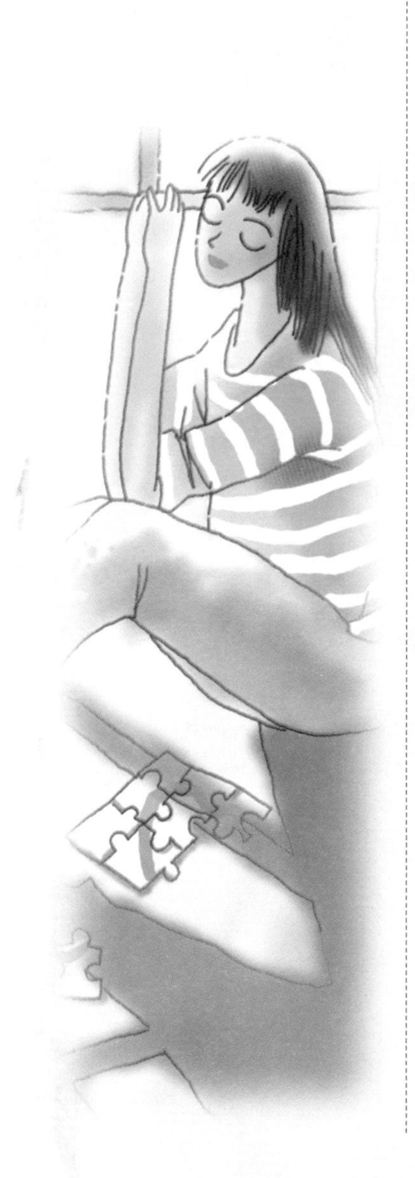

某種年紀還瘋得不像話，比如，如果你在四十歲還想騎單車載著情人從台北東區騎到淡水去看夕陽，沒有人認爲你對勁；但如果你是在很年輕時做這件事，就會像『情定日落橋』的故事一樣感人。就好像賈寶玉如果在三十歲後還跟一群姐妹瘋來瘋去，不會有讀者認爲他很可愛。

以前在台大還發生過這樣的事。女生不想和男生在一起了，要求分手，男生不願意，每天都到女生宿舍門口去等，要求續前緣，女生有天煩不過，預藏了美工刀，在男生拉扯不休時，狠狠刺了他一刀。當場血流如注，送進醫院。此事貨眞價夠實夠瘋狂的了吧！

你說當事人哪個不聰明？聰明和爲愛瘋狂是兩回事。

以前我住的那個寢室，就有一個和男友吵架就跳樓洩恨的學姐，這一瘋，足足把書多唸了兩年！

很多愛過的人痛過，很多痛過的人瘋過。幸運的人，像出水痘一樣，瘋病永不復發；比較不幸的（應該說是，被他愛上的人比較不幸的），他們的『愛情瘋』像感冒，動不動就發了起來，七老八十，仍有一股瘋氣在。

我想到我做過的瘋事，實在也不少，比如，在半夜打無聲電話騷擾他的睡眠，看他回家了沒？旁邊有沒有別人哪？想來眞是無聊啊！如果有人這樣對付我，我一定會罵他三字經！

是的，能爲愛瘋狂是一種幸福，你會爲自己的愛情情操深深感動，但是，請先想想被你的愛的人，幸福不幸福？戀愛是己所不欲，勿施於人；己之所欲，也未必可以施於人，因爲你喜歡的方式和結局，別人未必可以接受；你覺得很偉大，你的情人可能很尷尬！

鴉片的滋味

外遇。如果一夫一妻制一直是唯一合法的制度的話，絕對是個永恆且永遠新鮮的話題。

一種向當前法律與道德挑戰的愛情，後者的阻力比前者強大。所謂道德，不只包括非外遇當事人對外遇的看法，還包括外遇者本身內心的掙扎，而內心的掙扎所激盪的波瀾往往又勝過輿論壓力所製造的驚濤駭浪。

從『道德』觀點來看外遇（看任何事都一樣啊）是很無趣的，但又不能不從道德觀點來看外遇。因為非道德，因為屬於禁忌，所以外遇有著偷偷摸摸的刺激和難以言喻的放肆美感。就像由渡邊淳一小說改編的電影『失樂園』一樣，有婦之夫久木在五十歲時愛上了有夫之婦凜子，生命和生活都轉了一個大彎。原本以為，只是偶然的相逢，只是逢場作戲，一下子會雲散煙消，但愛情，哪由得人自收自放呢？想暫時進入快樂天堂的兩個戀人，不知不覺的掉進失樂園，一個地獄。並非由情慾建的地獄，而是由各種內在掙扎編織而成的地獄。

兩個人穿著黑色衣服，在雪白的床單上相擁，維護著彼此間真愛的純潔，身上卻是墨色難洗，截然的對比，徹底的剛烈、強勁的反抗。

外遇事件中最常出現的矛盾情結是，你談戀愛的阻力，同時也是讓你愛苗如煙火怒放的助力。彷彿暗礁，使水流困阻，但也激出浪花。兩人如果都是自由身，會變得如此如痴如狂嗎？

窗外看得見一抹邪門的上弦月，裹在薄薄的光影裡，彷彿第一次，她褪下外衣後，他所看見的皎潔光滑的身體，散發著唯美的光輝。賓館的斗室忽然被仙女的魔棒一點，變成一座風來暗香滿的水殿。地毯裡的霉味與煙味消失了，他皺皺鼻子，好像可以嗅到想像中的體香，鴉片的甜味。

雖然他從不知道鴉片的眞實滋味。但能令人九死不悔一口一口上癮、上癮後又一次比一次渴望的東西，一定是世上最好，也是世上最壞的東西。

嘩啦嘩啦的水聲把男人拉進現實。記憶像一塊甜膩的乳酪蛋糕，隆隆車聲從隔音不佳的窗外滲了進來，像一群螞蟻，默默的啃掉記憶的殘渣。

她在浴室裡洗著澡。

大概是三個月前，他已經不想跟她共浴了。每個週三晚上的固定約會，也許因爲太固定了，心情從狂喜到疲憊，感覺由期待到束縛。其實，今晚下班前，他寧可答應一群無聊中年男子的邀約，到陽明山的pub裡去舉杯邀明月。

愛情的感覺，或者說是荷爾蒙的作用吧，是從不再想與她共浴後開始倦勤的。

當初水深火熱時，做愛後，他會抱著她進浴室，打開蓮蓬頭，用柔軟的舌頭吸吮她頸上的水珠。他曾小小的驕傲過，以他的年紀，三十七歲（韋瓦第在這個年紀已經進棺材了，哈哈），竟然還可以再一次進入她的身體。水聲、歡喜聲、嘆息聲協奏屬於偷情

者的四季交響曲。

他曾眞心的說，妳是我最愛的女人。儘管他也曾對他的妻說過很多次，在沈醉美麗愛戀的時刻。但最發自肺腑的永遠是現在說的這一次。

我的身體爲妳燃燒，越來越熱。他的咽喉顫抖著。

水冷了。她從浴室走出來，一臉木然的說。

這家用的是太老的電熱器，水只能熱十分鐘，就冷了。她打了一個噴嚏。

他好想回家看小女兒。剛唸小學的小女兒坐在他膝蓋上叫爸爸，曾是他婚後最大的幸福。他忽然想念這樣的感覺。

『我得回去了。』她說，『我兒子明天要交美勞作業。』

很有默契，在情緒冷卻的速度上，他們竟仍維持『相見恨晚』的心有靈犀。

他在她額頭輕輕吻了一下。

『要我送妳回去嗎?』他問。

『不了。』她低頭說:『我先走。』

她走後,他站在窗口看了一會兒月亮。房間中的霉味席捲而來,他懷疑自己怎能在這樣的房子裡做愛?!

下一個星期三因爲失去期待,所以很快到來。

月亮比較圓了,下班時就在未暗的天空中對他隱隱約約的微笑。他的心一沈。

她來電話,『今天,和婆婆打牌……』

『我也有公事要談,眞巧。』他接口說。

沒有再下一個星期三了。

眞是有默契。就像當初誰也沒提,自然而然在吃完晚飯後,走進賓館,不發一言一樣。

這變成他記憶最深刻的戀情，無聲無息如五彩泡沫般消失的戀情。

有一次他和朋友打高爾夫時，在餐廳遇見了她、她的丈夫和她的兩個兒子，窗邊，暖暖藍天剪出一個幸福家庭的側影。

多想走過去，說，我最愛的一個女人啊，妳好嗎？

可惜，心中的初戀少年，只復活了三秒鐘。他當然沒有這樣做。

她的丈夫看見他了，微笑向他招呼。原來先認識她丈夫的，生意上的朋友。『氣色好啊，你這小子，結了婚還那麼有女人緣……』她丈夫走了過來，自己挪了個位子坐下。

她只是稍稍別過頭來，看了他一眼，然後，繼續爲小孩把牛排切成小塊小塊。

懦夫

愛因斯坦說：『我們希望能將很多事情簡化……，但不能因此變成一個容易受騙的人。』

這句話的邏輯，可以廣泛的運用在生活上，比如：

——我們希望能活得很有安全感……但不能因此變成一個懦弱的人。

——我們希望被愛……但不能因此變成一個因愛受苦的人。

——我們希望自己充滿勇氣的面對生命中的挫折，但不能因此成為一個勇敢的笨蛋。

在面對感情時，我們常有意無意的讓自己的某種品行發揮過了頭，以致嚐到許多苦頭；自以為做了很多好事，贏回不少惡果，因為別人的感受和我們不同。不得不承認的是，某些感情是無解的。比如，一個『拯救者』和一個『被拯救者』陷入愛戀，兩個人決定『相依為命』，就開始一段感情的『癌症之旅』……

♥

紫菁從沒想到和自己步入禮堂的竟是重興這種人。老實說，他和她少年時代的夢中情人、白馬王子的形象相差甚遠。

結婚進行曲響起時，紫菁忽然有一種暈眩的感覺，心裡有個聲音冒出來：攙著她的手的男人，並不是她實際需要的那種男人。

她望了望自己戴著白手套的左手，那隻手挽著一個男人細瘦的臂。再往上看……天啊，她要嫁的『人』，竟有一顆比加熱過後的糨糬還要柔軟的頭，隨著結婚進行曲，慢慢的融化掉。

眼看紅毯走不到盡頭，她的新郎就要化成一灘白色的黏稠物……

『張重興你怎麼了？』

她提高聲調，著急地問。新郎沒答腔，只是繼續融化……

所有的賓客都沒有上前來幫忙，每個人的臉都以嘲謔的表情回應她。這個世界眞是冷漠無情啊！

紫菁渾身顫抖，眼看他的手臂也要融化掉了，稠汁黏上她的蕾絲白手套，她只好把他甩開……

『爲什麼還會做這樣的夢呢？』

一醒來，全身肌肉還因恐懼而僵硬著。明明和張重興分手，已經是五年前的事了，無緣無故又夢起他來，難道他在她的潛意識裡還陰魂不散？

也許算是個預兆吧！午休時間打開報紙一看，她竟然看到他的名字、他的照片，還有他現任妻子的名字和照片……

一場車禍爲自認爲沒有女人味、像個漂亮小男生的梁紫菁帶來了桃花運。那是她騎打工換來的摩托車上路的第八天，一不小心，在出校門轉角時，撞到了被朋友推過來的張重興，他當場昏死了過去。

梁紫菁和幾個見義勇爲的夜二專同學，叫了救護車把他送醫，她『害』他（事實上是他被推出來撞上她的，只怪她要帥騎得太快了點）跌斷了右手，還有輕微腦震盪，臉上也少了幾塊皮。

從此她就變成他的『守護天使』，負起爲他寫作業、借筆記、送他上下學、出入醫院的責任。她也不知道自己有沒有因爲『日久生情』而愛上他，但兩個人就這樣理所當然的因車禍而成了一對。

剛開始感覺還滿好的，當張重興坐在後座，第一次大膽的用他細瘦而白皙的手臂緊緊環住梁紫菁的腰時，迎著夏夜微風，梁紫菁覺得自己好像戀愛了。她沒談過戀愛，想像中戀愛就是這種醺醺然的感覺。雖然她嫌張重興不夠高、太弱不禁風，也曾嘲笑他白得像個泡水的饅頭……梁紫菁的心裡還是麻癢麻癢的，想著想著覺得有點噁心，於是回頭問後座的這位『乘客』：

『你幹嘛吃我豆腐啊？』

『不是……是……妳開得太快啦……』梁紫菁臉一紅，可不是嗎？竟然飆到了一百，哎呀呀，實在不該胡思亂想。問題是，當她放慢速度後，他的手也沒有放鬆些，她感覺他正用臉摩挲著她的背，像隻小貓一樣索求著她的溫暖，就這樣，他們『循序漸進』，情侶間的親吻與愛撫是有的，只是還沒上過床，她有恐懼，而他也沒有長驅直入的勇氣。梁紫菁曾經陪無助的失戀同學去密醫那裡墮過胎，想起張重興的『體貼』與『矜持』，她覺得自己滿幸運、也滿欣慰的。『他眞是個「有爲有守」的男人啊！』

畢業後，梁紫菁找到一份正職的工作，也認識了第二個和她有戀愛感覺的男人。本來是要爲了這個『第三者』和已經不是很有感覺的張重興分手的，沒想到分手談判完，張重興吃了幾十顆安眠藥，以自殺來抗議。

『他是眞的愛妳才這樣，』當初不知是誰給梁紫菁這樣的建議，『他連生命都給妳，妳還是收了心，回到他身邊吧！』

梁紫菁想了想，『不忍』加上『感動』，使她和第三者說了再見，三個月後，張重興的父親和繼母來她家提親。『這孩子從小沒娘，內向了點，和你們家紫菁互補，剛剛好。』紫菁的寡母也覺得張重興文弱、老實，女兒應該打得贏、吃得住，將來應該是個『聽某嘴，大富貴』的好尪婿，也就答應了。

梁紫菁嫁給張重興那年二十四歲，婚禮是由他的繼母和她的母親兩個能幹的女人張羅的，張重興一概沒意見。『她們出錢，她們做主就好，妳管她們！』每次梁紫菁和這兩個女人有點小齟齬時，張重興總是這樣勸她。

婚後一個禮拜，她就發現他是個懦夫，有天看電視的時候，張重興看到一隻蟑螂，他的反應是把兩腿縮進沙發，對著梁紫菁大叫：『打死牠！』梁紫菁英勇的把牠打死了，心也死了一半，她所嫁的男人是個連蟑螂也不敢打的人嗎？

『我是宅心仁厚啊！』張重興爲自己辯解。

『那你爲什麼叫我打死牠？分別是要把自己的罪孽加在我的帳上！』梁紫菁的問題就在於大而化之，再生氣的事，沒幾天也想開了，她對自己說，連蟑螂也不敢打的男人，應該不會做什麼壞事吧！

她錯了。婚後她爲他付的第一筆債務就是他的賭債，人家要債要到家裡來了，她還不知道他什麼時候出去賭的。張重興一看到來人，馬上跑到樓頂上躲了起來，不敢出去，來人說他欠了十萬元。

十萬元，對當初的紫菁來說是五個月的薪水啊！她費盡千辛萬苦才打發了一臉兇相的討債公司，把畏畏縮縮的他叫下來責問，他像個忘了帶作業的小學生似的，臉不敢抬起來，兩頰都是淚，懺悔的說：『下次我不敢了，請……請原諒我。』

『你什麼時候去賭的？』

『有一天下班，同事們找我去，我不敢不去，是吃角子老虎嘛，我第一天就贏了一萬，我想多贏點給妳買鑽戒當妳的生日禮物……』

本來梁紫菁不肯幫他還，卻發現他自己根本沒有任何存款。她要他去跟他爸爸要，張重興卻哭得更大聲，不敢去跟父親拿，說是身任軍中主管的爸爸會把他打死。梁紫菁幫他還了，條件是他得把每月的薪水交給她掌管，他同意了。沒想到弊多於利，他動不動就被所謂的同事邀請，不是去新開的地下賭場捧場，就是去買他根本用不著的直銷商品，好像別人說什麼他都依，以至於每月的薪水數額到她手裡不是負數就不錯了，她一點也沒賺到。

『他眞是個好好先生啊！』梁紫菁用各式各樣的理由安慰自己，因爲離婚對她這麼一個出自保守家庭的女孩來說，可不是一件容易承擔的事。她的母親在四十歲時就死了丈夫，一直以從來沒有踰矩之想自傲，也以貞潔之名受鄰居讚嘆。她怎麼能讓好竹出歹筍呢？可是她的婚姻陰影像烏雲一樣累積在她的天空中。

她和張家家人都住在一起，所幸張家的人都對她不錯，張重興的繼母雖然是個女強人，但相當講道理，對她也頗多照顧，所以丈夫的無能，在相對之下顯得沒那麼要命。

但有一回她還是心寒到了極點，因爲張重興的妹妹回娘家待產，在懷孕八個月時的

某個半夜裡，忽然流了許多血，大叫的聲音驚醒了一家人，家裡只有張重興一個人有駕照，梁紫菁連忙叫醒丈夫，要他開車送同父異母的妹妹到醫院去。張重興看到一地的血，走了幾步，竟搖搖晃晃地倒了下去，結果，在叫不到救護車的情況下，紫菁只好用『開』機車的方式把車子開到醫院，將兄妹兩人一起送去急救，還好，孩子雖然早產了些，還是保住了。

懦弱的好好先生也有膽大妄爲的時候，結束他們兩年婚姻的原因，是他有了外遇，一個女人——他在不好意思推拒同事而同去的應酬中認識的風塵女郎來勢洶洶的找上門來，說她懷孕了，要張家負責。梁紫菁這才覺悟到，一個懦夫也可能因爲不好意思推掉外遇而破壞婚姻。

『你想怎麼辦呢?』她問他。

他囁囁嚅嚅地說:『我……不知道,妳說呢……』

第三者一邊摜家裡的東西一邊哭,他的繼母再孔武有力都擋不住。紫菁被鬧得心好煩,她還問:『你喜歡她還是喜歡我?』

他把頭藏在臂彎裡答非所問:『我都是有不得已的苦衷啊!』這句話似乎也把紫菁的婚姻包括在內,徹底傷了她的心,她以爲他有勇氣爲她自殺,就是願意拿生命換取她的愛,沒想到是她自作多情,他爲她自殺,還是因爲懦弱的緣故,他從來沒勇氣挺起胸膛解決任何難

題，寧願逃避，自殺也只是另一種逃避……

就這樣，梁紫菁讓出了她的婚姻。

『我再也不要見到你這個懦夫！』這是她有史以來對他說過最重的話。

沒想到三十歲這年，梁紫菁在報紙上又看到張重興的消息。

報紙上登出他的大頭照，還有他的太太——也就是當初那個風塵女郎低著頭哭喪著臉的鏡頭。報紙上說他侵佔五千萬元，人跑了，他的太太堅稱不知情，還哭得涕淚縱橫。梁紫菁有一種報仇的快感，慶幸那個哭得死去活來的女人不是自己。報上還引述同事們的說法，說他太太不知情是不可能的，張重興一向對他太太唯唯諾諾。紫菁暗自忖度了一下，莫非他又找到一個不得已的理由或強而有力的靠山？不然，他是沒這個膽子的；他總是能找到不得不的藉口！

三十歲，離開婚姻一身輕的梁紫菁把她的才幹充分發揮在工作上，已經是一家進口服裝公司的副總經理，甚得日本老闆的賞識，這個下午，她為自己拋棄曾經傷心的婚姻而暗自竊喜。

『晚上去慶祝一下吧！』她打電話給男友。

『為什麼？』

『沒為什麼。』

『不行，妳給我乖乖回家，我晚上要加班，我十點去找妳，不許亂跑哦！』

這個身居要職的日本男友，是個十足的大男人主義者，對她說話，亂有權威的。一般女人受不了他的酷，紫菁一點也不在意，至少，他不是個懦夫啊，她對自己解釋著……

岔路

在愛情的國度裡，
總是隨處可見教人難以抉擇的掙扎。

難纏

『我並不是不想談戀愛，』一位過了而立之年，看來是新好男人，只是有點『太正經』（什麼時候這個形容詞淪落到負面意義裡頭來呢？）的男人，吞吞吐吐對我說：『可是，我談了一次半的戀愛，已經嚇得我半死！』所以他『淪』爲『三十處男』。

那半次戀愛，是他根本還未承認自己陷入愛河，就已經身陷囹圄了，女方可能操之過急了。他不過和她吃過幾次自助餐，大學時代打工時認識，同事之誼嘛，他覺得很理所當然啊！她有電

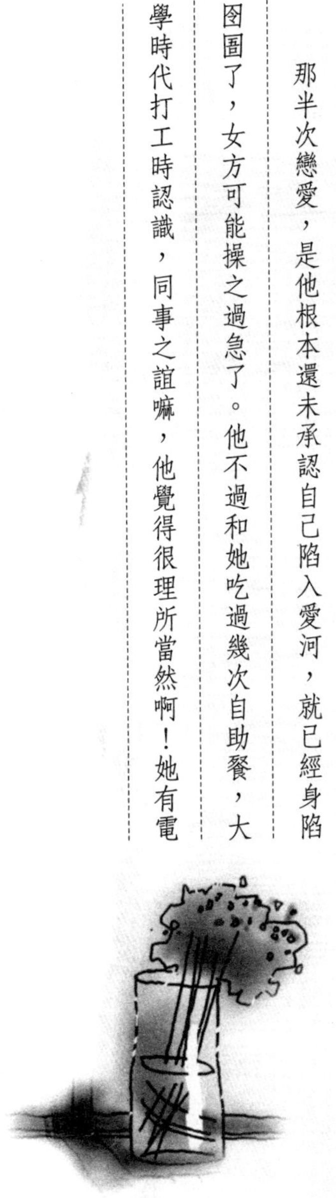

腦問題要問他，他當然得熱心解答，因爲那是他的專業嘛；她要他回新竹時捎兩包新竹米粉給她媽，那也很便宜嘛，所以他就照著做了。後來就變得有點怪怪的了，他一個人在公司餐廳吃自助餐，同事們會有意無意的問：『她爲什麼沒跟你在一起呢？』『爲什麼我要跟她在一起吃呢？』沒有人喜歡在自己不同意穿上制服前，被迫套上制服，他可不喜歡被亂點鴛鴦。

這句話傳入A小姐的耳裡，A小姐來找他，怒氣沖沖的問：『你怎麼不給我面子？』他想，怎麼搞的，動輒得咎，還是不要跟A一起吃飯好了，離她遠一點，以策安全。可是女生不是這麼想的，爲了要她的面子，她動不動就來找他，不管他第二天是否要期中考期末考，爲了讓大家知道他對她有愛意，她就是要到宿舍門口等他，叫他陪她逛街。

他面有慍色，她就說死了算了，世上沒有人懂得愛她；萬一他捨命陪君子，氣氛當然很不好，因爲他是心不甘情不願的。

她還每天打電話來找他聊天，沒事聊他也要聊，萬一語氣有何嚴峻之處，她就拿著電話老半天不說話；他掛電話，她就再打，爲了不要騷擾到室友，害羞的他只好搬出寢室。

他躲得了一時，躲不了太久，暑假回到家中，有一天當完家教回來，竟然發現她坐在自己家中大廳，逗著大哥的孩子玩。

『你女朋友來啦！怎不先通知一聲，人家已經來三個小時了，下次你該說一聲嘛，我們才好先招待人家。』他的母親好意的說。他百口莫辯，只得說：『我陪妳到公園走

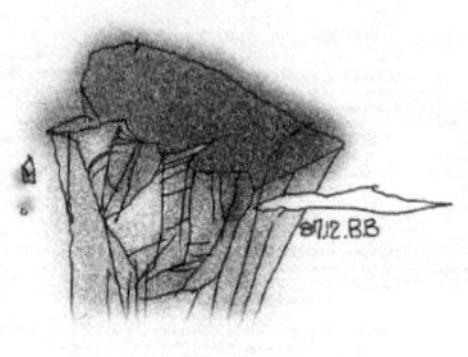

一走吧！』以避開家人耳目，免得他們誤會了。陪得心不甘情不願的他，臉上的表情當然不是感動，而是『賭爛』，她不是不敏感，嘴嘟了一路，不歡而散。

開學前後她到處投訴他負心無情，使他有點難看，於是這件沒談就已經把他嚇到了的戀愛，使他對談感情心有餘悸。

好不容易在出社會之後，他又看上了一位同事的妹妹B，本來也好好的，看該女生也是國立大學畢業，個性成熟，樣子也挺開朗的，這個戀愛應該可以『順利』一點吧。他是比較小心謹愼的人，下班時間時，他會打電話問問她，要不要去載妳啊？

還在『談』戀愛的時候，感情就觸礁了。萬一有一天他沒準時下班，或者有事沒去載她，她就會不高興的興師問罪。

他以爲去載她是他的權利，但她卻認爲是他的義務；有一陣子公司在趕業績，他忙得焦頭爛額，還得接她的電話，她認爲，即使他在忙，也該抽空陪她聊聊一些無關痛癢的話。他口氣稍有無奈，她就偏要一直跟他講下去。有時半夜三更做了一個噩夢醒來，她也會打電話到他家，不管他第二天是否一大早得上班，她一定可以講到他的睡意全消爲止，講到天翻魚肚白，講到他變成熊貓眼。

『是不是天底下的女人都這麼難纏呢？』這是他對於女人的疑問。我想，有這種疑問的，自認吃過『難纏』女人的虧的男人不在少數。

女人是否很難纏？我想，是出自談戀愛時，雙方對於彼此的『戀愛語言』並沒有了解清楚，男人本身悶著頭不溝通，常使相處的狀況每況愈下；我們以爲長輩們說的，婚姻愛情裡百善忍爲先是至理名言，大家就忍一忍吧，結果，兩人之間可能打通的那條溝渠，就積滿了陳年淤泥，舊恨加上新怨，怎一個『纏』字了得！難不難纏，當然看個人個性，非關男女。

把自己看得比情人重要的人會變得難纏；小心眼的人一定難纏；常爲芝麻小事想三天三夜的人也難纏；看太多言情小說，以爲男人都會像《一簾幽夢》的男主角一樣，在妳熟睡時彈一夜吉他的女人，會難纏到不知道自己難纏；自以爲應該爲人決定人生道路的人有一種頑固的難纏；愛翻舊帳的人絕對難纏。

我覺得難纏的『病』，說重不重，說輕不輕，難纏的人在任何人際關係中都是不快樂的，但看他們願不願意稍微修正一下，修正的步驟，首先要明白，啊，自己確實有些難纏。至少，難纏也要『有原則』。

承認錯誤，是進步的開始！

若細細分析起厲害得失，難纏確實不會爲自己帶來任何好處，『偏』到了一時，往往失去得更多。

把精益求精的態度放在工作上（說得精確一點，是放在創造工作的正面意義上），還是別把不順我意，我就讓你難看的態度放在感情中，讓大家好過一點吧！

善哉善哉，戀愛的意義，在增進情人彼此之生活，婚姻的意義，在創造此後和諧之生命！

單身快樂，結婚快樂

Unable to stay, unwilling to leave.

——『鐵達尼號』電影原聲帶中某一首歌名

單身快樂，還是已婚快樂？

不會有答案的一個問題。

我們周遭的朋友總是這樣的，結了婚的抱怨婚姻，但又希望你趕快跳進去。總是喜事一樁嘛。他們對婚姻基本上的肯定是不假思索的。

為什麼你會想要結婚呢？這個問題看似簡單，但很少被提出，一般人只會問：『為什麼你不想結婚呢？』因為我們在潛意識裡是肯定婚姻的，就好像我們不會問人家：『為什麼你想要工作呢？』『為什麼你會想要上大學呢？』

如果已婚人士願意誠懇面對問題，那麼，會有幾個可能的答案：

第一類是盲從型：不知道。大家都結婚啊。年紀到了。不孝有三，無後為大。和呼吸一樣容易的答案。

第二類是害怕孤獨型：怕老的時候死在床上沒人發現，怕老的時候沒有人來陪我照顧我。怕我不娶她或嫁他，他（她）會跑掉。

第三類是奉兒女之命，不得不結婚。

第四類，我們當然希望有這樣的答案：我愛他，希望能看他一輩子。我相信有的。不過，『一輩子』的時間，常要看『感覺』而定。感覺是很難捉摸的，你在今天可以規劃明天如何如何，卻沒辦法感覺明天如何如何。

婚姻未必是戀愛的墳墓，但一定是某種熄燈號。象徵人生某種心理狀態的結束，也有人天真的以為，只要兩個人溝通得好，美麗時光可以永不結束，那是我們美好而理性的渴望，事實上必須失去什麼，一定會失去什麼。總會像農場裡被豢養的牛隻，總要被蓋上一個印記的。

那麼，你為什麼不結婚呢？

曾經有過『不結婚』念頭的人，也許是對所謂的社會規範是比較有反思能力或反抗態度的，不管他們後來到底選擇了什麼。

第一種類型是害怕失去自由，包括怕惹上別人家族帶來的麻煩，怕改變自己的生活方式。

第二種類型是一朝被蛇咬。前車之鑑可能來自父母、或曾經失敗的同居或婚姻生活，期待但怕受傷害，裝出不要的樣子。

第三種是沒人要。不過，我不認為真的有這樣的人，婚姻是一個『市場』，只有賣不出去的價錢，沒有賣不出去的東西，如果連跳樓大拍賣都賣不出，你也可以想辦法送出去。

第四類是找不到、或錯過『理想對象』，『真的是』寧缺勿濫。你要的人不要你，你不要的人不想要，但在年事已高之後常放棄理想對象，投降於婚姻。

這樣的分析很可怕。我也不想這樣分析。我也希望，結婚只是一件很浪漫的事。

有一次看某一本柴門文的漫畫，男的忽然拿出一個小鑽石指環，對女友說：『這我已經放在身上好久了，一直想給妳，都找不到適當時機，今天總算……』看得我不爭氣的眼淚在眼眶打轉。為什麼『通俗』的劇情仍有這麼大的吸引力？

Unable to stay, unwilling to leave.

我們對待婚姻與單身同樣矛盾複雜的態度。

星期六下午的咖啡廳，有很多閒人；閒人之中，有很多好不容易才抽出時間來會會老朋友的人。

靠角落的座位上坐著兩個女人，兩個人穿衣服的方式有異曲同工之妙，剪裁高妙的素淡服飾，顯示她們都有很好的教養，也有不錯的收入，眉宇之間洋溢著從容的自信神情。

原先兩個人都點了乳酪蛋糕和卡帕奇諾咖啡，其中一個在服務生轉身的剎那忽然改變了主意：『我改成黑森林蛋糕好了，』接著對朋友說，『這樣我們可以有多一種選擇。』

小小的分享，讓女人感覺，即使好久不見，閨中密友的情誼還是扎根扎得很深。

『最近快樂嗎？』穿著淺蘋果綠的女人以這一句話掀開話題。

『老樣子。』穿著灰色上班族褲裝的女人聳聳肩說。

『什麼時候喝喜酒?』

『老朋友了,別給我壓力好不好,我媽已經唸得我快發瘋了。有建設性一點的話,妳就幫我介紹一個。』

『也好,我老公的朋友裡,也有一些很優秀的。不過……可能沒有妳優秀就是了。』

『別嘲笑我了。』穿灰色衣服的未婚女子說,『我的標準已經降得很低了,只要男的,有份普通薪水就可以。』

『算了,妳也別說謊,』已婚的女人說:『我看妳從前交的男友都那麼的優秀,妳都在嫌東嫌西,挑這個挑那個。』

『今非昔比了。』未婚女子嘆口氣說:『現在,不要青年才俊,老實的就可以。最近真的想結婚了。幾天前我接到我以前大學同學的喜帖,氣死人了。』

『人家結婚妳生什麼氣？』

『她是我們班以前長得最抱歉的一個！結果，她要嫁給一個醫生！我們班唯一還沒人要的剩下我一個。想當初，以外表來看，沒有第一名，也有班上前五名啊！婚宴上又要遇到從前同學，她們一定會在背後……』

女人想結婚的理由眞奇妙。坐在她們旁邊那張桌子，低頭看著一本電影雜誌的男子忍不住在心裡說。他不認識她們，否則眞想告訴她們，這種『我想結婚』的推理是大有問題的。

他只是用眼尾餘光瞄瞄兩個女人，還算有點姿色，聽她們說話的口氣，不急不徐，也還算氣質不錯，所以他打算靜靜的偷聽下去，反正他在等人，無聊嘛。

『妳管別人說什麼，』已婚女子爲自己揭起好友如此憤世嫉俗的情緒不好意思起來：『其實，我好羨慕妳的單身生活……看妳，有自己的事業，上一次還在哪一本女性雜誌上看到有關妳的介紹，妳穿那件衣服很好看，哪個牌子的？』

灰色衣服的未婚女子說：『哦，妳說的是JIL SANDER嗎？跟我現在身上這一件是同一個牌子的。』

『哦，我看過，貴得嚇死人。』已婚女子說：『有一次我偷偷買了一件，我老公說好看，問我多少錢，他聽說一件針織衫兩萬元，臉都氣白了，講話酸溜溜的。』

『笑話！』未婚的替好友打抱不平：『妳也有賺錢，又不是全給他養！』

『這就是結婚的不好了。衣服總要買多報少，連出來喝個下午茶，都得跟他、跟保母報備，眞懷念我們兩個以前自己跑到太平山、跑到巴里島自助旅行，無牽無掛的樣子。我每天跟在他背後收東收西，叫他不要亂丟都不聽，分明把我當作老媽子，唉，我晚上還要去婆婆家，還得強顏歡笑陪她打四圈麻將！結婚，是一種團體生活。』

『從這一點說來，單身是不錯啦！喂，下個月我放假想去歐洲，妳跟不跟？』

『哪有可能？我老公會說，要去就不要回來了。那個人妳是知道的，我豈能讓他在台灣工作，一個人出去玩？他會恨我的！』口氣有點哀怨，但哀怨裡又有著幸福。好像一隻鳥，在欣賞著關住牠的那個雕金砌玉的籠子。

『妳老公眞是心胸狹隘，管太多了！』單身的說。

『還好啦，妳結了婚就習慣了，總比他不管妳好，嗯，妳看，結婚三週年時，我強迫他買給我的蒂芬妮鑽戒。』一顆鑽石在好友面前更顯得灼灼生輝，鑽戒在她眼睛裡反射的光芒更是璀璨迷人。

單身的嘆了口氣，她越來越沒辦法理解昔日好友在講述她的婚姻時那種矛盾的情緒，爲什麼總是一邊抱怨，一邊炫耀著呢？單身女子沈默了起來，連啜了好幾口咖啡。她的行動電話響了，正是好機會，甜甜蜜蜜的講了好幾分鐘。

『原來妳有……新男友？』已婚的女人迫不及待的問。

『八字還沒一撇啦。』

『好好珍惜，女人青春有限啊，都快三十了。』

『如果是壞男人，珍惜也沒用啊！』單身的說。

『別那麼悲觀。』已婚的說，『還是有好處的，晚上作噩夢醒來，好歹有人拍拍妳的肩，叫妳別怕。』

『那我倒不怕，只怕他變成我的噩夢。』單身的輕笑兩聲。

『對不起，我三點就跟他有約了，他會來接我，等一下妳老公會來接妳嗎？還是我們送妳回家？』

『不用，不用……』她說：『可以……叫他來接。』

三點，單身的喜孜孜約會去了，先說了再見。已婚的說，她還要多坐一會兒。坐在一旁看電影雜誌的男人，看見她在她朋友離去後的三分鐘內，拿起手機打了幾通電話，似乎沒有打通，沮喪的在咖啡廳門口招了計程車離去。

一個報紙的外電報導忽然卡進她的腦海裡，據說和單身女郎、家庭主婦比起來，最沮喪的就是已有家庭的職業婦女。

『死到哪裡去了！』她暗罵一聲。

看電影雜誌的男人還在等人……她回頭瞄了他一眼，心想，一定是單身男子，這麼悠閒……

看電影雜誌的男人終於等到他的朋友，大學時『出生入死』的同學。他是個汽車公司的業務經理，時間永遠抓不準。

業務經理已經訂了婚，看電影雜誌的男人未婚。男人不像女人，沒事出來聊天，他們先聊完看電影雜誌的男人要買車的問題。

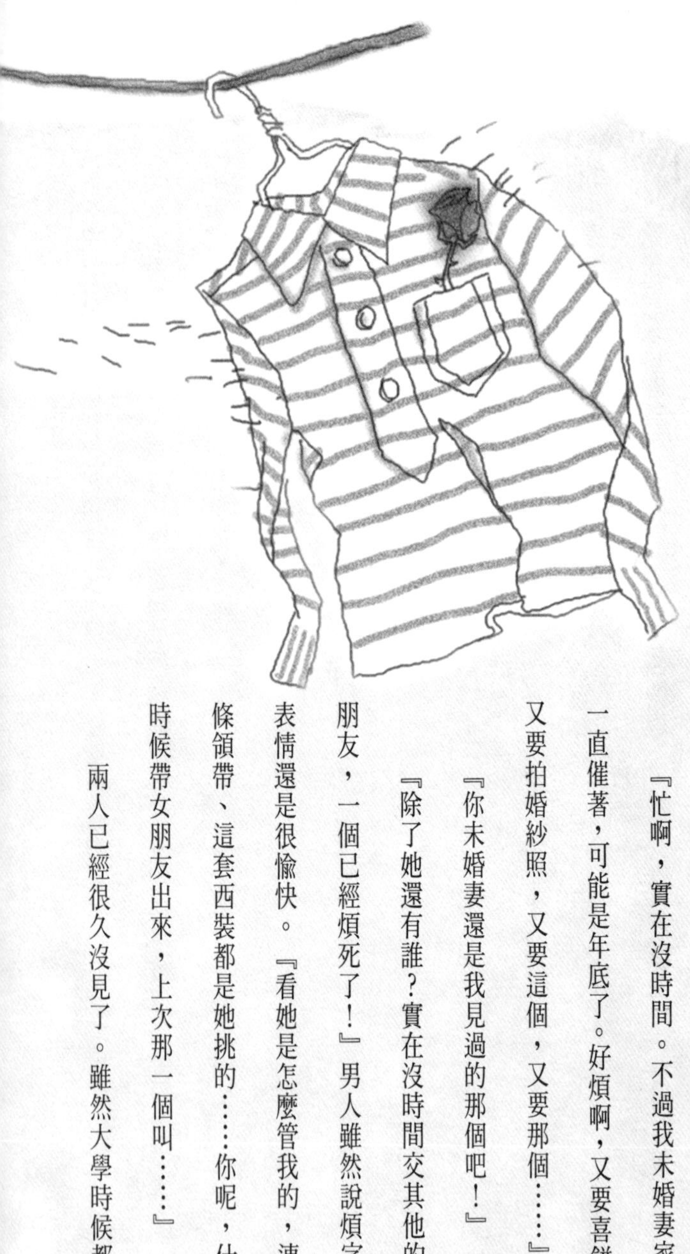

『什麼時候結婚?』單身的附帶這一句。

『忙啊，實在沒時間。不過我未婚妻家裡一直催著，可能是年底了。好煩啊，又要喜餅，又要拍婚紗照，又要這個，又要那個……』

『你未婚妻還是我見過的那個吧!』

『除了她還有誰?實在沒時間交其他的女朋友，一個已經煩死了!』男人雖然說煩字，表情還是很愉快。『看她是怎麼管我的，連這條領帶、這套西裝都是她挑的……你呢，什麼時候帶女朋友出來，上次那一個叫……』

兩人已經很久沒見了。雖然大學時候都是

橄欖球校隊的好兄弟。

『別提了，拆了。』男人黯然的說。

『沒關係，天涯何處無芳草，眞羨慕你……能享受單身的快樂。』業務經理尷尬的乾笑了一聲。

『對啊，也滿好的，女人，有時候你覺得她煩死了……』

這個時候業務經理的行動電話響了。

『又是她，』講完電話後他說：『每一次都要我去吃她煮的實驗菜，把我當成白老鼠，眞是的。』

剛失戀的單身男子心裡已經酸得流口水了。『走吧，再見。』他先起身說：『車子的事就麻煩你了。』

他走出咖啡店裡，想到一個數據，聽說有配偶的男人會活得比較長，對生活的滿意程度也比較高，男人也許應該結婚才是正途，可是……

坦白從寬

To be or not to be?

——哈姆雷特

她自認爲是個溝通高手。如果有人問她，她覺得自己最迷人的地方在哪裡？她一定會大聲回答，是開朗坦誠的性格。

追溯一般朋友對她的看法，無疑的，她具有一種罕見的魅力。每一個人在認識她之後沒多久，都想把秘密告訴她。她舒展的眉心、天眞的眼神、總是上揚的嘴角和從不八卦的個性，使人鬆掉所有的戒心，任何驚世駭俗都會被她善解人意的耳朵吸收掉，不會引起任何一絲漣漪。多麼令人安心。認識她的人是幸福的，而她也有十足的能力掌握她的幸福。

二十七歲那年，有一份好工作的她找到一個各項評分都在八十分以上的好男人——一個牙醫，訂了婚。

『如果你有外遇，請一定要明明白白的告訴我，這樣，我就會原諒你。千萬不要讓任何人先來告訴我。』她含笑對著未婚夫說。

『放心，有妳之後我不會想別的女人。』他說，『妳讓別的女人都變得很難相處。』

『不行。』

答應他求婚那天，正是中秋前夕，月亮圓得像個甜甜的月餅，月光好像黏黏膩膩的蛋蜜汁一樣灑在她和他光裸的肩上。

『我們打勾勾——我們之間一定要坦白，將來你不要我時也一定要告訴我，我會輕輕的離開。坦白從寬哦！』

『幹嘛要把話說得這麼悲、這麼白，好殺風景！這是我向妳求婚的夜晚啊！』

『這才是真誠的溝通呀！』她溫柔地解釋道。

『那妳呢？有外遇時會不會告訴我？』

『我的個性才不會偷雞摸狗呢！』她義正詞嚴地說，『我一向最坦白，最光明磊落……』

那件事是在訂婚後的一個禮拜發生的，她一直掙扎著，她該不該坦白？

也許是快要結婚了，又芷覺得自己應該多珍惜單身的時光，趁未婚夫到高雄開會的那個晚上，又芷一個人在街上晃著晃著，忽然想要到幾年前常去的pub，點一杯酒，坐在吧台靜靜的聽陌生人唱歌。

『好久沒來啦！』很久以前那個記憶力絕佳的酒保竟然還在，還記得她。『還喝瑪格麗特嗎？』

她點點頭，口渴的她急急地啜了一杯瑪格麗特的霧白色汁液後，一陣奇怪的歌聲吸引了她的注意，又芷往台上一看，是個剪小平頭的男人，正在唱流行的『廣島之戀』，一個人忽唱男聲，忽唱女聲，惹得一群客人笑得不亦樂乎。在間奏的時候，他大聲宣布：『如果沒有一個美女來陪我唱歌，我可就一直荼毒你們的耳朵囉！』酒吧裡燈光昏黃，看不清楚他的臉，只知他的笑容可掬，是幾分醉意渲染出來的。向來熱心活動不落人後的又芷，舉了手對台上說：『不是美女可以嗎？』

那人回答：『我酒量不好，一喝了酒，看誰都是天仙大美女，妳就上來陪我唱吧！』

酒保也跟著起鬨，慫恿又芷：『那人是熟客，人很風趣，彬彬有禮，去和他對唱沒關係！』又芷就上台了，兩人假意含情脈脈對唱了下半首情歌，又炒熱了氣氛。

下了台，又芷才發現，原來隔壁的空位就是這個傢伙的，他也是一個人來坐在吧台。因爲酒保說他是個好人，所以她便沒有顧忌地跟他聊了起來，一聊，她連喝了兩杯瑪格麗特，他也連喝了兩杯威士忌，她知道他是個試車手。什麼是試車手呢？在廣告公司負責過汽車廣告的又芷稍有所聞，反正閒著也是閒著，就與他聊了下去。他喝第三杯威士忌時略有愁容，瞳孔也有些失焦了，忽而沒頭沒腦地輕聲問她：『妳可不可以告訴我，人爲什麼要結婚呢？』

『老的時候才有人陪啊！』又芷馬上答出四平八穩的答案。

『如果活不到那麼老，不是賠了夫人又折兵嗎？』他斯文地在空中比著醉漢的手勢說：『還有，如果妳找到的人，到老的時候惹妳討厭了，妳在道義上又沒辦法拋棄他，那怎麼辦？』

她沒辦法回答，她也醉眼朦朧了。

大概是遺傳的關係，又芷的酒量相當好，醺醺然的時候，總覺得全身毛孔都在一伸一張地跳著踢踏舞，想對全世界微笑。她只覺得眼前這個傢伙很有趣，他看來跟她差不多大，清眉秀目使他看來孩子氣一些。他還有一副和他可愛的臉孔不太相稱的，一般城市男人所沒有的『陽光身材』——健壯的胸肌以及發達的上手臂。又芷只記得自己和他在比賽誰說的黃色笑話比較好笑，酒保是評審，輸的就喝一口酒，輸的人通常是笑得前俯後仰的又芷，她一直喝，不知道喝了幾口瑪格麗特……她不在乎，因為她的酒量向來是打遍天下無敵手。

等她眞正恢復清醒時，黎明的曙光已經滲透進了淺蘋果色的窗帘。糟糕！赤裸裸躺在她身邊輕輕打著呼的竟是那個男人！他的皮夾放在桌上，又芷撐著腫脹成兩倍重的頭輕輕抽出放在其中的身分證來看，他叫余若衡，配偶欄空白，比她小兩歲。她暗自詛咒自己該下地獄，天哪，她做了什麼事了？她趕緊穿了衣服往外逃，走在馬路上才曉得自己身在東區的小巷弄裡，天色已經亮了，她覺得路上的人彷彿都看到她臉上寫著『淫蕩』兩個字，心跳得比鑽孔機嗒嗒嗒挖馬路的頻率還快。

坐在自己房間裡發呆到七點多，她打了電話給遠在高雄住飯店的未婚夫仁遠。

『喂……妳啊，怎麼這麼早打來？』

『我我……我……』口齒不清是因為一時沒想到要怎麼說起，她能坦白地說，對不起，我昨晚趁你不在和一個陌生男人上床了嗎？她的喉嚨像被濃痰塞住了似的。

『有話快說哦！我要下樓吃早餐了。』仁遠打了個呵欠說。

『我……我昨晚一個人……去酒……吧……』她是想對他坦白的，可是，舌頭忽然不聽使喚。

『妳又喝酒了？叫妳不要亂喝，別以爲自己海量，去那種地方遇到壞人怎麼辦呀？妳知道我不喜歡女孩子喝酒的！』

『你……說得對，我不該……去喝酒……而且……而且……』

『沒關係，不必說了，我原諒妳！我快沒時間吃早餐了，我得下去囉！明天我就回台北了，我知道妳打電話給我是因爲想念我，我也想念妳……親一個，嘖！再見……』

仁遠掛掉了電話。

又芷拍拍自己的胸口，心都快蹦出來了，天哪，她還沒講完呢，仁遠竟然已經原諒她了，就這樣作罷嗎？

她的身上彷彿還留著他濃重的體味，那樣的味道，從她身體內部燃燒起熊熊烈火，一個還沒有說出的事實，就是所謂的『秘密』吧！又芷感覺到又快樂又慚愧。

基本上她是誠實的。這個晚上站在酒吧門口時，又芷一直躊躇著要不要進去，她發現她很想看見昨晚那個叫做余若衡的男人。『也許我有必要告訴他，我已經訂了婚……』又芷喃喃自語著。

酒保看見了她，隔著玻璃窗對她招手。她決定忠於自己的想法。

喝了兩杯瑪格麗特，正在結帳的時候，她看見余若衡笑盈盈地走到她身邊坐下來。像個老朋友一樣，他輕聲說：『喂，妳要走時怎麼不說一聲？我連妳的名字都不知道……』

她正怔忡著該怎麼自然地跟他介紹自己，他已經搶走她的皮夾，掏出裡頭的駕照：

『嘩，鄭又芷，未婚……』

『駕照上哪有寫未婚？』

『難道妳已婚？』

『當然……還沒有。』

『我昨天的表現妳還滿意嗎?』他貼近她的耳朵問。

『我……我……』回想起來,若說她是喝了太多酒而失去知覺,對他可能不太公平,她搜尋記憶中的片段,發現自己和他站在酒吧門口時,自己確實說了:『我現在不想回家,帶我去瘋一瘋。』這樣的話,還把沈重的身軀倚在他扎實的胸膛。她並不是被他強行帶走的。她也還記得他把她帶到住處時,她把他當沙發,往他的胸膛一靠,那種像海豚躍進海洋般溫暖舒適的感覺。他開始探索她熱燙的身體,她也沒有反對——她身上的每一個細胞都說yes,爲什麼她要不誠實的說no呢?

她該對自己誠實,還是對她的婚約誠實呢?她還來不及想得太多時,他已經手法流利地解下她的胸罩,用他細長有力的手指緊緊攫住她的乳房,並自然而然地把她的手放在他身體此時最堅硬的部位上。她的喉嚨感受到他身體深處所發出的某種飢渴,使她像一隻被老虎咬住的小獸一樣，自覺得有義務讓大王飽餐一頓……意亂情迷的快感竟是她前所未有的……

她想起昨夜他的許多種姿勢，還有他認眞的表情，以及淌著汗的額頭，她的身體曾因之不可置信的變成一個完美的弓形……老天，她記得這麼淸楚，如果說他是霸王硬上弓，未免是個謊言……

『妳在想什麼，爲什麼不回答……』

『我想告訴你……我不是你想的那種，隨便跟人家一夜風流的女人……』說出這話來時，又芷覺得自己很好笑──這樣的話，他聽多了吧？

『我可沒這麼想妳……我也不是妳所想像的在酒吧裡找一夜風流的男人──不然我爲什麼要把妳帶到我家呢？那可能會是很大的副作用哦！如果妳要我負責，我也沒問題……』

『不是……不是……我沒這個意思……你怎麼能隨便幫人家負責呢？』

『我老實告訴妳……昨天，我被認識三年的女友拋棄了，她說她要嫁給別人，說我靠不住……天曉得我跟她在一起的時候，眞是對她忠心不貳，昨晚不算，那是情不自禁，我們孤男寡女在一個房間，因爲妳太迷人，所以我就……妳的感覺還好吧？』

『還好……我……』她想告訴他，我已經是有未婚夫的人了，我不該和你上床的，又想到這個叫余若衡的傢伙，才剛被要跟別人結婚的女友拋棄，如果再告訴他自己也快結婚的事實，對他一定是再度打擊吧！不幸的是今夜她傾聽他的情史，又和這個傷心人聊得很開心，如果昨夜和他上床時她只有百分之三十的清醒的話，這個晚上她帶著百分之八十的清醒意識到了他家。

他的體溫像燭火吸引飛蛾一樣使她撲進他結實的胸膛。他把她抱進沙發，讓她坐在他身上，他調皮地說：『人生苦短，盡情享用我……』他也讚美她的皮膚結實又滑嫩，是他見識過的女人中最好的，『不過妳要相信我，我認識的不是很多……』她的臀部在他懷裡不由自主的扭動，她感到難為情極了，暗自咒罵自己是個娼婦，和她的未婚夫仁遠做愛時，她從沒有這麼不嫻雅的動作啊！然後她聽見一聲野獸般的絕望的乾吼，很驚訝的是，那個聲音竟出自她的喉嚨深處。『妳眞棒，我想跟妳過一輩子，好嗎？』他大汗淋漓後，喘著氣對她說。

她不置可否，洗完澡後又芷推說家中有門禁，她得回去。其實是仁遠說好會在十二點打電話給她，她得回家接電話。又芷很少說謊，說起來有點臉紅心跳。

這個男人使她不認識自己了。『又芷，又芷……是妳嗎？』回家後她裸身，凝視著鏡子，喚著自己的名字。鏡中的自己有著運動後嬌豔可人的粉紅色皮膚，渾身煥發著一種前所未見的光輝，眼睛好像不再那麼澄澈清亮，反而有一種迷離的神祕光澤。她感覺自己像個被外星生物附體的人。

她到底還是把這件事跟自己好好溝通了一下，警告自己，事不過三，不再去找余若衡了。她實在沒有勇氣傷害余若衡，說她也要結婚了，不如當個蒸發掉的人，對他的傷害比較小吧！

『該告訴仁遠嗎？』她想到自己和仁遠間是有約定的，而且提出約定的人是她自己呀！理性說yes，而她的意願說no，爲了不違背她和仁遠間『坦白從寬』的原則，她還是在幾天後心情平息時，某一晚在仁遠住處他解開她領口的釦子時，她莊嚴肅穆地抬起頭來看著仁遠：『我有話要告訴你，不說，我心裡難過……』仁遠的熱氣呵在她臉上，並沒有停下動作的意思。她要再開口，他就一嘴堵住她的嘴。『仁遠，我……』『沒有什麼事比眼前更重要的，』仁遠說，『噓……此時無聲勝有聲……』

他的身體重重落在她身上。她不自覺地想到余若衡，他靈巧的手指以及有彈性的肌膚，相較之下，仁遠顯得笨拙而粗魯。此時該告訴仁遠這件事嗎？顯然不能。找機會再說吧！沒想到仁遠翻下身後不久就睡著了。使她獨自怔怔望著天花板，心中七上八下的猶豫著。

一直猶豫到了婚禮那天，結婚進行曲響起之前。一群人在喜宴場合爲她和仁遠步入人生新旅程忙碌著，而又芷爲著自己的不夠坦白有欺騙之嫌而眉頭深鎖，她像莎士比亞劇中的哈姆雷特，一會兒擔任正方，一會兒擔任反方，和自己辯論著。該告訴他嗎？結果會是如何？他會忽然決定停止婚禮嗎？會當衆打她耳光嗎？還是會因她的坦白原諒她嗎？

To be or not to be?念外文系時演過莎劇的又芷，腦袋裡盤旋著舊日熟悉的台詞……她該向他承認，自己因禁不起誘惑和酒吧裡的年輕男子上了床，而且不只一次嗎？

終於，趁著人聲混雜，她鼓起勇氣拉住仁遠的衣袖，『仁遠，我們要結婚了，對彼此之間，應該要坦白對不對？過去，如果有對不起彼此的事情，現在應該要說出來……』

『唉，又芷，妳就是這點不可愛，妳還是在懷疑我過去有事情沒告訴妳，對不起妳對不對？我認識妳之後，眞的沒有對不起妳的地方呀！我媽常說人要結婚了，就要學會睜一隻眼閉一隻眼，凡事不要查得那麼清楚，要信任啊……』仁遠此時並沒有什麼時間和耐心和她溝通，『信任，以前種種譬如昨日死，今日種種譬如今日生……這就是婚姻，以前的事別講了，好不好？誰沒有過去嘛！夫妻間彼此也該有點秘密，這是彼此的隱私權，應該尊重的。妳不要讓我感覺，我娶了個徵信社回家……如果妳改掉那種什麼都要溝通清楚的論調，妳就是我眼中最完美的女人了！』

仁遠好像誤會她的意思了。『我是說……我……我……』又芷忽然決定，不說了。

『別說了，沒時間了，快去補粧，我先上場，等妳……』婚樂已經響起，仁遠吻了她一下，又芷看著仁遠離開，只好把秘密鎖進心中那個隱形的保險箱裡——這可是她人生中最值得回味的秘密啊！反正是仁遠要她改掉她凡事溝通的缺點的，可不是她不坦白。

就這樣，又芷帶著美麗而神秘的微笑，在她父親的攙扶下，走向她的新郎。

荊棘
愛情裡什麼最令戀人痛苦？
是放棄還是繼續向前？
87.12.B.B

愛上殺人犯

你會愛上殺人犯嗎？

每一個期待幸福降臨在自己身上的人都會搖頭說，不會。這是個可笑的假設性問題，不是嗎？

事實上，愛上殺人犯的人不比想像中少。打開報紙，幾乎每天都有情殺的消息，還要情節精采的才上得了報。

當然爲『愛』（眞的是爲了愛嗎？是由愛生恨嗎？這眞是個

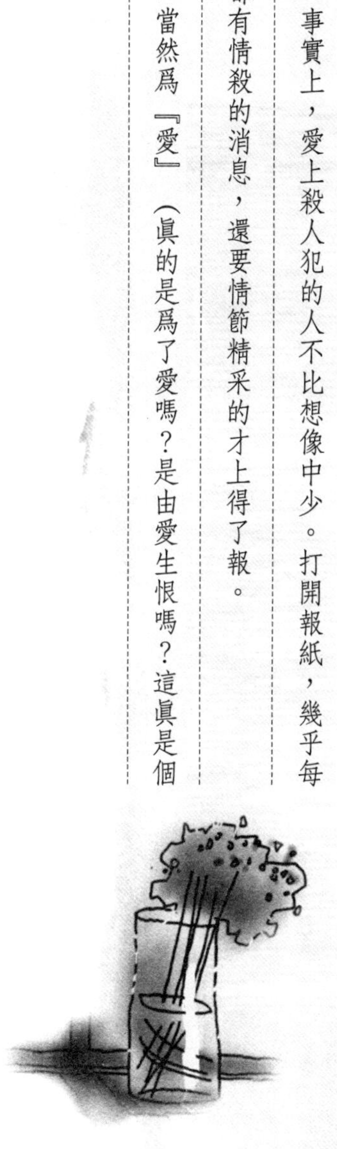

『約定俗成』的習慣説法。眞正的愛應該灌溉不出這麼醜陋的果實，只有一味想佔有的狹窄心胸才會滋生『不愛我就讓你死』的想法）尋仇殺了變心愛人的，只是茫茫人海中寥寥幾隻螞蟻，不值得你因『怕死』而否定愛情的光明遠景，但對於不明不白喪生於昔日情人刀下的人來説，他們，在最初的目成心許時，必然沒想到他們愛上的是殺『人』犯，更糟的是那個『人』還是自己。

有些殺人犯因『愛』而殺的『人』，不是情人，而是本身，因爲無法承受夢想的幻滅而自摧自殘的，大有人在。

『自殺』已居台灣人死因的第十一位，如果再加上車禍裡的自殺人口，裡頭有多少人是因感情受創而自行了斷的呢？比率一定不算低。走的人走得乾脆，留給昔日情人一個終身難卸的心頭重擔。這種做法，一樣殘忍。

爲愛殺人，不管殺的是自己還是別人，差別只在於選擇當愛情殺人犯者的心理狀態：『外控』式的人，把任何錯都記在對方帳上，覺得對方罪該萬死；『内控』式的人，把一切都往心頭控訴，覺得自己罪該萬死，本質上，他們處理感情的態度是一樣極端的。

多少罪，假『愛』之名而行！

『可恨之人，也有可憐之處』，當然，假愛之名的人，也有可憐的地方——他們就是太看重自己可憐的地方，卻不想想情人可憐的地方！

於是我們看到一個有婦之夫，在女友要求分手時刺了她一刀；也看到了一個清秀的殘障女子，連續教唆衆男子殺害了丈夫和男友；過去甚至有日本男子將女友煮了一口一

口把她吃下去的國際新聞；很多殺人犯在遭逮捕或自首時，哀哀切切的在警局作筆錄，說：我愛他啊！我愛他呀！

愛他爲什麼要讓他看不到明天的太陽？

我們誤會了『愛』。褊狹的心把愛看成佔有，即使你不是我的唯一，我也要是你的唯一！

不要質疑愛，應該質疑的是我們每個人對愛的態度。

該質疑的是，爲什麼我們會有這樣的愛情態度？雖然，走極端的人難免有精神上的問題，但持這種『如果你不愛我，不如死了算了』感情態度的人，並非少數。

每個人的心中都有一顆愛情種子，它會發芽長大，但它在成長過程之中所受到的對待，會影響到它日後的姿態。

從小到大我們所受的愛情教育，唯一的教科書幾乎都是『哭哭啼啼』或『轟轟烈烈』的連續劇。

如果我們在該學兩性相處、修戀愛學分的青少年時期，把愛情視爲『洪水猛獸』，愛就會變成洪水猛獸。

如果我們以爲『寧爲玉碎，不爲瓦全』的愛情觀唯美又浪漫，那麼我們就無法容受『平安即幸福』的無聊。

日子正當少男少女時，戀愛如果受到了一點阻礙，在毫無心理準備的情況下，如白紙般潔白的心常以羅密歐、茱麗葉自詡。這似乎是一段必經的過程，心態並不可議，但可怕的是，你過了而立之年、不惑之年還持著同樣的邏輯在談戀愛，仍然盲目、仍然偏激、仍然搞得雞飛狗跳、仍然想跟對方同歸於盡，仍然期待在一番『噼哩砰隆』的發洩後相擁而泣！

我們談戀愛的心態確實是『普遍』不正常，我曾遇到對我投訴『如果她不要我，我覺得活下去就沒有意義』的男人，也遇過問男友『如果你媽和我一起掉下河，你只能救一個，你要救哪一個？』男友答『先救我媽，然後跟妳一起跳河滅頂』而感動萬分的女人——如果你仍抱持『無論如何，不能與他同生，就要與他同死』的哀感頑豔在談戀愛，那麼，愛情殺人犯的香火仍會一脈相傳！

別跟戀愛觀太『死忠』、個性又太偏激的人談戀愛。

偏偏，說起來是容易的，在最初臉紅心跳的時候，我們豈會考慮，自己愛上的是未來的殺人犯！

另一個名詞，『婚姻暴力』或者不那麼怵目驚心，但也令人膽跳心驚；在婚姻中遭受暴力對待者，已超過百分之十的今天，我們有更大的機率要提防，愛上的是不是將來的刑事犯！

兩位知名的女心理學家Sokol與Carter，多年前即曾提出她們的諄諄忠告：別愛上把你當救世主的人、除你一個朋友也無的人、小挫折就反應激烈的人、自卑與自大糾結的人、想每分每秒霸佔你的人、企圖讓你除了他之外親友全無的人……這些人，都可能成爲將來的暴力狂，使你的美夢變成一地碎琉璃……

這些法則，對於『掉』進戀愛中的人，說了等於沒說。我們反而以爲這些都是愛情不可或缺的要件。我只能說：

別愛上戀愛觀有問題的人。

別把被完全佔據當成百分之百的被愛。

別將吵鬧不休視爲轟轟烈烈。

相信星相八字，不如相信你耐心的觀察。

相信兩人之所以並肩攜手，是爲了使生活更快樂，而不是從此永無寧日。

相信該走時，好聚好散，願你我都活得好，男婚女嫁各不相干。

相信愛，愛的光明。不在不愛時認同恨。

畢竟我們不會從恨中學到什麼，得到什麼。

寫到這裡，我的心沈重了起來。是的，愛有它的危險性，因爲你可能遇到不懂愛的人；但，相信愛。

愛的潔癖

愛情絕對不是百分之百的純果汁，除了愛，總會再加上一些其他的東西，比如責任，比如某些負面情緒。

愛，不是恨的不在；是對那人正負感覺的總和。

很多人明白，在愛情中當一個完美主義者注定讓對方痛苦，也必然會失敗；所以，在歲月的洗禮下，漸漸失去了對愛情的潔癖。於是，他們承擔愛情的正面及負面，加加減減，如果所得仍是正數，那麼，還願意執子之手、與之偕老。

加加減減的所得是負數的，也還是有很多人在白頭偕老（可不是白頭『諧』老）。

這是成熟，還是委曲求全，還是，凡人和人歷經年歲還能在一起，必得學會成熟的委曲求全？有時雙方都在委屈求全，卻沒有人獲益；只能把責任推給命運，或是上輩子欠的債了。推給查不出原因的理由，不失是一種與世渾沌的好藉口。

秀瑋接到女兒憶如的電話時大吃一驚。

嫁到台北沒半年的女兒，一聽到母親的聲音，竟哽咽了起來。

『媽……我眞的不知道國祥是那種人，他……他……嗚嗚……』

『有話好好講，別哭啊……乖……』雖然憶如還沒說出什麼，秀瑋的第六感馬上猜到是怎麼一回事！難道是命運的詛咒？風風光光嫁出去的女兒，竟步入她的後塵？

『國祥他有了女人！』憶如抽抽噎噎的說：『結婚不到半年，他就背叛我！』

『有證據嗎？還是妳猜的……？』

『全世界都知道了，只有我還不知道！這個女的是國祥婚前就認識的！聽說國祥在追我之前就有數不清的女朋友，他一定是看上我們家的……我們家的背景才娶我的……嗚……他昨晚沒有回來，就是去野女人那裡……』

『妳怎麼知道的？要有證據才行啊……』聽女兒的聲音已然失去理性，秀瑋自覺要比女兒冷靜才行，否則女兒的婚姻，可能會雪上加霜。

『媽，我是妳的女兒，妳怎麼還替那個人說話！』憶如的語調氣急敗壞，好像一個失主遇到了收贓物犯一樣。『他常常說要晚歸、要應酬，我本來也覺得，他跟爸爸是同一行的，爸爸應酬那麼多，他有應酬也沒話說；但是上個禮拜，我忽然在他車子裡發現他和一個女人的親密照片……我才想到，結婚不久有一次，我故意開玩笑用個假名打電話到他公司找他，他的秘書竟然對我說：「小姐，找我們老闆的女人很多，妳如果不說妳有什麼事，我可沒空轉！」我發現照片後找了徵信社，他們竟然在一個禮拜內就拍到他跟三個女人的親密照片，有兩個跟他去了賓館，一個是半夜到人家的單身公寓去！』

怎麼女婿跟岳父一個樣呢？當初憶如嫁給國祥，是由她的丈夫彥仁的好友牽的線；憶如才二十一歲，本來秀瑋和丈夫都反對憶如剛剛五專畢業就結婚；可是自小任性的憶如，卻有一顆留不住的待嫁女兒心。

夫婦倆看在國祥年輕有爲又對長輩恭敬有禮的份上，同意把唯一的女兒嫁給他，而且還附上一棟三千多萬的別墅……難道，自以爲經商多年，看遍世人心眼的彥仁也會看錯人？還是命運呢？秀瑋怔怔的想，偏過頭去，冷不防被鏡中人不像人、鬼不像鬼的自己嚇了一大跳！她忘了自己臉上敷著美膚漂白的海藻泥呢……

秀瑋這二十年的婚姻生活並不好過，如果她能有先見之明，人生還可以回頭的話，她可能不願意結婚，即使結婚，也不願意嫁給孫彥仁。

那年她只有二十二歲，已經成功的領導著父親的成衣廠，漂亮又時髦，口袋裡又多金，一年到頭都有人來提親，沒想到就像她祖母常說的一樣：『撿來撿去撿到一個賣龍眼的』，她撿到了朋友的朋友孫彥仁。

兩個人是自由戀愛的，他一派斯文，談吐比她認識的生意人高雅，做的是建築生意，天天開車來接她看電影，那時秀瑋眞的以爲，自己抽中了第一特獎。

父親早逝，使秀瑋高中一畢業就不得不當起擔當重任的女強人，她日理萬機，談起生意來果決明斷，在生意場上也看多了各種人與人間的角力，如果不是第一次談戀愛，她大概不會胡裡胡塗的『栽』在孫彥仁手裡。

他是個白手起家的青年創業楷模，那年趁著房地產生意大好，帶著幾年累積下來的資本，和幾個原公司的精英幹部離職，開設自己的公司，正好三十歲、未婚，以他的人才和才能來看，眞是不嫁可惜的對象，他認識了年輕漂亮的秀瑋，猛烈的展開追求，讓她感覺在這世界上，他們倆是最最匹配的人。

秀瑋認識他一個月，他就向秀瑋求婚，那個年代女人最怕男人和她只是玩玩而已，秀瑋覺得他很有誠意，答應了婚事，訂婚後，孫彥仁帶她參加他公司的尾牙，她才發現自己認識他不夠多。

那天他喝了點酒，醺醺然的捲起褲管，一腳踏在板凳上和朋友划酒拳，看來比村夫還粗裡粗氣！秀瑋看在眼裡，一時完全沒法接受自己要把終身託付給這樣的人，衝出餐廳去，蹲在門口哇哇大哭了起來，她妹妹秀珍也在一旁，看到姐姐和未來的姐夫一樣『失態』，慌得不知所措。

『那個時候就該決定不要嫁他的！』和自己妹妹秀珍回憶起這段往事時，秀瑋總是這麼說；但喜帖印好了，爲了一點面子問題，還有前一夜她已經把貞操貢獻給他的原由，秀瑋還是接受了『孫太太』的頭銜。

結婚那天，一表人才、一派斯文的新郎捲起褲管在每一桌輪流划酒拳，過了這二十年還在當天賓客心中留下深刻的印象。

『新娘仔，妳嫁錯尪了！』孫彥仁的一個事業戰友趁著幾分酒意對秀瑋說，『妳不知道我們都叫他衣冠禽獸！他哦，是我們兄弟之間最猛的啦！』

秀瑋當初還沒完全了解這句話的意思，新婚之夜，她拿這句話問他，他醉得不知自己是在跟誰說話：『他們這些菜鳥仔，每一次和我去北投，都要佩服我啦，我一次都叫兩個小姐，而且不到三個小時絕不出來，他們只好在外面憨憨的等！』

一聽這話，秀瑋又哇哇大哭，簡直是新婚之夜被天打雷劈！第二天她就和他談離婚。可是當時離婚這兩個字並不流行，而且在新婚一個月內她就發現自己懷孕了，只好把日子過下去。

『媽，我覺得我好命苦！我本來以爲，我可以像妳和爸爸一樣，組織一個模範家庭！

李國祥這個豬狗不如的東西，毀了我的一生，我眞想要殺了他！』

我們是模範家庭嗎？聽到這話，她憂喜參半；沒錯，在女兒和兒子眼中，爸爸一直是個模範父親啊！因爲他是個有錢的爸爸，每個學期總是可以捐款給學校，出手闊綽的他不知贏得多少面『模範父親』的獎牌。

他忙，難得有時間跟孩子共處，每次看到孩子就像個聖誕老公公，騎驢當馬的來彌補他的歉疚，難怪孩子都喜歡爸爸；反而是她這個常伴孩子身邊的媽媽，因爲得扮黑臉，家庭壓力、事業壓力和婚姻挫折感都大，惹得脾氣陰晴不定，孩子可能還會給她負分。

『每一個人的婚姻都有很不愉快的一面；有一些事情，眞悲哀，我一直沒跟妳講；』秀瑋安慰了女兒一個小時，要她再忍一忍，別想不開。『妳還年輕，要離可以離，千萬別講那些氣話，不要傷人傷己，那是沒好處的。』

『媽，我不跟妳講了！』憶如氣呼呼的，『妳就是不會站在我這邊！我要找爸爸，爸爸一定會爲我出口氣！我剛剛打爸爸的行動電話，找不到他，他公司的秘書說他去看工地了，妳可不可以叫爸爸回來打電話給我，再見！』

看工地？還不是藉口！這麼多年來，她已經習慣不問他去哪裡了；但這個秘密，秀瑋從來沒讓孩子知道。

彥仁婚後每週總有四五次以看工地爲理由午夜之前未返家，留她一個大腹便便的新嫁娘在家中痴痴等他吃自己新學的菜色；她後來忍不住了，雇了人帶她去跟他的行蹤。頭一回發現他和女人進他公司附近的賓館，她氣得到附近五金行買了一把水果刀，就在門口的樹下等他和野女人出來。等了兩個多小時，她竟和那個風塵女郎勾肩搭背的出來了，還跟那個抹著銀藍色眼影的女人開玩笑說：『老客戶，下次要打八折哦！』

那女人啐他：『死人喲，跟你一次比跟三個人還累！』

大概是她想殺人的眼光讓孫彥仁背脊發麻，秀瑋顫抖著手正在考慮要不要上前撲殺那對『狗男女』時，孫彥仁突然回過頭來，看見她，他馬上採取緊急措施，要那名風塵女子先行離去，轉身搶下她的刀子。

秀瑋的精神狀態已經有些恍惚了，出乎意外的，此時不知怎麼處理這難堪場面的她竟聽到他溫柔的低語：『妳不要激動，這樣對肚子裡的孩子不好，我愛的人是妳……我們回家，不要在街上鬧笑話……』

他竟無助的伏在這個『現行犯』的肩上痛哭，好像他是她的盟友似的。

『再也不會。』他說，她無助的相信著他，但第二次犯規來得很快，隔不到三個月，她在生產前夕，又目睹他和公司女會計一起進了賓館，這次她再也沒辦法在外頭枯等兩個小時，在半個鐘頭後她就瘋狂的拍打著房間的門，叫陣了五分鐘之後，孫彥仁開了門，一樣叫女人先走了，然後一把抱住她，要她在床緣坐下來，對她一樣好聲好氣的說：『秀瑋，妳也知道，妳的先生，我，就是這麼喜歡逢場作戲，我改不了的啦，可是我也還是對妳很好，我也不會跟妳離婚，妳不要激動……對孩子不好……』秀瑋還來不及反應，兩腿間一股溫熱的水流了下來，只記得自己大叫：『快送我到醫院……』於是，他們的女兒憶如呱呱墜地。

他對女兒很好，很像慈父，拾回了她的心；她從此變成一個不太完整的人，對於他在外面的種種行爲，不再觸碰，甚至故意迴避，以免自己傷心。他在她生日時總會送她玫瑰花和珠寶，大家都讚嘆他的好，只有她老是在猜疑，這是不是爲了彌補虧欠？

有了女兒後又有了兩個兒子，她連說離婚的力氣都沒有了，反而安慰自己，至少他懂得作表面的功夫啊；悲慘的人喜歡聽更悲慘的故事，來告訴自己，我不是最悽慘的。她也是，她看到的棄婦都比她慘得多，丈夫不但有外遇，還打人，還愛賭，還跟老婆要錢，而她的丈夫……她安慰自己，只有第一個問題而已！

憶如一結婚，剛懷了孕就碰上與她一樣的問題，是不是命運對她的詛咒？這凡人所不能忍的事情，竟然落在自己女兒身上，還是命運對她丈夫的報復呢？以其人之道，還治其兒女之身？秀瑋思緒一片零亂……

孫彥仁這天回家回得出奇的早，秀瑋冷靜的說，『你女兒找你，你自己打電話給女兒吧！』她一邊切著水果，一邊偷看他的反應，他將如何為同樣花心的男人辯解？她很想知道……

『什麼，那個王八蛋竟敢在外面有女人！他媽的什麼狗膽！我叫人去把他做掉了，讓他不能人道！』如今兩鬢已花白的丈夫，情緒比她想像中還激動，就像火連珠炮的謾罵，使得忍著笑的秀瑋掉出了辛酸的眼淚。

他不愛我

誰是愛情的劊子手？除了『不愛』之外，你找不到其他更沒良心的字眼。

如果愛情會生病，那麼，爭吵可能是發燒，多疑可以算是精神病，外遇是偶發車禍……而『不愛』是惡性腫瘤。我想。

沒有比『不愛』更難救的痼疾。一到真的不愛，什麼都不用說了。

什麼是愛呢？

愛是一個人看到天邊夕陽美景時願意與他共享；愛是吃到好吃的東西時願它也同時能滑進他的食道；愛是願能當他的守護天使，希望他毫髮無損，活得好……

就跟很多癌症一樣，不愛也是因為某些細胞惡化慢慢累積的，你不去治它，癌細胞會移轉，終至無能為力。

細胞惡化的原因，像疏忽，像一廂情願的揣度對方，不願傾聽，一味控制，不能溝通……剛開始健康情況變差時，我們通常不在意，不知道，覺得能忍則忍……變成『因誤解而分開』，愛，被磨成不愛了。

如果及早治療，每一個婚姻都是有救的嗎？有些人抱持這麼正面的想法。

我並不這麼樂觀。有的婚姻是一開始就把兩個不愛的人因緣際會放在一起，或者是其中有一個人本來就除了自己不能愛人，患了愛無能症，最後變成『因了解而分開』或『因孩子而忍耐』。沒有一點愛，訂什麼契約都是虛文。

有愛，遇到愛的難題，常只是一時停電；不愛，碰到愛的阻難，即陷入萬古無明的洪荒。

『他不愛我，牽手的時候太冷淸，擁抱的時候，不夠靠近……啊，他不愛我，說話的時候不認眞，沈默的時候，又太用心……』

莒光是在星期五下班開車時聽到這首歌的。週休二日前的星期五晚上，好像大家都有這樣的默契，知道馬路上一定會大塞車的；莒光沒有像平時一樣心浮氣躁，他的眉頭輕輕皺著，不是爲了塞車，而是被像髒空氣中的浮塵一樣充塞著他的腦袋的念頭東西所困擾著——他並不想回家。他甚至希望車陣簇擁著他，把他帶到不知名的地方，讓他有理由找不到回家的路。

明天答應要帶文若和小薇到中部一個農場度假的。週休二日剛開始的時候，他興奮了一陣子，覺得自己可以有時間好好的犒賞自己了。沒想到現在連好好睡一覺的藉口都沒了，理所當然的要爲老婆和小孩安排休閒活動，使他更不得閒，除了操心之外，更耗費體力。老實說，他寧願公司強迫他加班。

『我知道，他不愛我，他的眼神，說出他的心……』問題在哪裡呢？沒錯，這首歌適時的提供他一個答案。文若已經不愛他了，他回家才會感覺到那麼的尷尬。相對兩無言，擁抱沒力氣，甚至沒覺得有擁抱和親暱的必要，面對面眼神會自然避開……凡此種種徵兆，警示他愛情已經離去，徬徨業已來臨。

連上床，都陷入一種僵局，絕不是從『情不自禁』開始的，只是感到『從前好像每隔一段時期都這麼做，現在不做是不是會讓對方覺得我哪裡有問題？』從前靠的是衝動，現在憑藉的是幻想，而且，他開始幻想他辦公室裡的那個長腿妹妹皮皮——唸高職夜間部的工讀生，她貌不驚人，笑起來傻兮兮的，就是常常穿著迷你裙，那一雙長腿，可以用『光可鑑人』來形容。他最近老是在準備就緒時不由自主的想到叫做『皮皮』的工讀生，他當然沒有把這麼『可恥』的事告訴文若。他可不承認他喜歡皮皮，皮皮的年齡只有他的一半，太可恥了……他怕自己變成日本AV片中欺負妙齡少女、令人作嘔的歐吉桑。

也許我得告訴文若，妳不愛我！他氣憤起來，猛猛的按了一下喇叭，警告後面那部車不要緊貼著他的車屁股……一定是她不愛我，我老早感覺到不對勁了，我得和她溝通，她的舉止和她創造的氣氛，都說明了她不愛我……

最近更糟！每一次他企圖溫柔的扳過她的肩，她總是背對著他，說：『我累了，改天吧。』天曉得他有多麼不好受。他只有開始亂想，想像和皮皮……雖然不是眞的，他還是很自責。

想當初他們是非常相愛的。

在學校時，就是一對班對，他們要好到每一分鐘都黏在一起，連下課十分鐘時，文若去上女生廁所，莒光都會乖乖的在女廁門口等她，讓整個專校的學生都在背後叫他『警衛』。有一天晚上留在學校參加電影欣賞會時，看到一半，文若要去上廁所，他很殷勤的陪著怕黑的她去，在門口聽到文若的一聲尖叫，莒光衝了進去，還眞的抓到一個跑進女廁想要吃女生豆腐的校外狂徒。他一把將那傢伙扭住，文若打電話叫了警察，把那個不法之徒送進警察局，訓導處爲了他這個義舉記了他兩次大功，『警衛』之名他更當之無愧了。

不但上課在一起、下課在一起、吃飯在一起，連彼此回宿舍後，每天幾乎還要通電話一個小時，他的室友問她：『你們眞的有那麼多話好講嗎？』

也吵過架，但從來沒有過了夜還沒化解的糾紛。兩人從來不曾大小聲，吵架時就以筆代口，在紙上發表意見，寫滿一張紙，也就沒事了。

當初講些什麼，早就忘了。只知道，聽到她的聲音，感受到她的氣息，他才會心安；

她不在旁邊時，他就不自覺的心神不寧。這麼多年來，她比他的所有家人都還重要。他當兵時，她開始工作，幸運的是幾乎每個星期還能碰到面，即使他不能出來，文若總會搭車來，帶著她的愛心，滷雞腿啊毛豆啊雞肫啊還有五香雞腳，讓他的弟兄羨慕得要死。

他一直以爲結了婚會變成神仙眷屬的，沒想到……

莒光回到家，臉上肌肉不自覺的往下拉。回憶是美好的，只是美好回憶中的女人，和現在與他一起生活的女人，好像是完全不同的兩個人。『回來了。』他有氣無力的說。

『今天吃水餃，醬油沒了，幫我買瓶醬油好嗎？』文若的頭連抬都沒抬一下，說。我累死了，妳只會指使我，不關心我。莒光想。但他嘴裡還是應道：『好啊。』

『順便帶小薇出去走走。』文若說。

『嗯。』他連好都懶得說，就答應了。三歲的小薇很愛跟爸爸一起散步，可是總不肯自己走，要他抱，十多公斤的小孩，抱在懷裡，讓他像個搬運工。文若上班地點比他近得多，通常會先到家，在路上買些小菜，到附近保母家接小孩，用電鍋煮個飯或下麵給他吃。文若臉上的笑容一天比一天少了。他偷瞄了她一眼，心想，自己哪裡得罪她呢？

她已經不愛我。整個人浸在一股冷漠的光暈裡，那種冷，好像藏著某種尖銳得像利刃的東西，那把利刃一不小心刺穿出來，就會無情的割破他好不容易建立的家似的。

莒光把小薇扛在肩上，深呼吸，冷不防附近人家種的夜來香的空氣和隔壁家煮麻油雞的味道，竄進他的肺裡，他決定不想這些。散了步回家，把醬油放在桌上，他扭開電視看新聞。看到有一對男女殉情的新聞，他啐了一聲說：『神經病！』

『你在說什麼？』文若從轟轟隆隆的廚房中探出頭來。

『沒有。』他說。不想隔空喊話，今天開了五個小時的激勵大會，身爲經理的他早把喉嚨喊啞了。

殉情？笑話，這些懦夫。想當初他要娶祖父爸爸哥哥都是醫生、自己唸藥理、長得水噹噹、白嫩嫩的文若，不知費了多少苦心。他在跨國的藥品公司力爭上游，一步一步的爬上去，還要被她的家人譏笑爲『業務員』沒前途。明知兩人交往了八、九年，她的家人還到處找醫生來幫文若相親，好像不是醫生就不是人。兩人到最後豁出去了，和文若先斬後奏有計畫的先上車後補票，懷了小薇，才使愛面子的文若家人咬緊牙根答應他娶她。殉情？再怎麼樣的阻礙，也不能做這種蠢事啊！莒光很是不齒。又低聲罵：『神經病！』

『吃飯了。誰惹你？臉色這麼難看！』文若剛好走出來。

『沒有。』

文若臉色冷冷的，好像被風霜刮過一樣。莒光只好找話題：『剛剛有兩個人，家人不答應他們結婚，就想去死……』文若正忙著餵小薇吃飯，沒有仔細聽他的話，莒光講話的聲音越來越虛，他覺得自己太不受重視了。

小薇叭啦一聲把醬油碟子打在地上。文若忙蹲下身子去收拾。

『眞沒用……』他忽然不想再講下去了。除了小薇發出牙牙學語的聲音之外，一家人默默無言吃完晚飯，兩人眼光都在孩子身上。最近搞得很僵，不知爲什麼？是因爲她已經不愛我了嗎？

文若的身子再度坐正在桌前時，臉色鐵青：『對，我就是沒用！你變了，我還不知道該對你怎樣！』嘩的一聲，文若哭了，淚水像瀑布一樣宣洩。

像平地忽然颳起龍捲風一樣，莒光有點不知所措。『我……我哪裡惹妳了……』

『我才想問你同樣的話呢！』一向文靜的文若忽然激動起來，臉上陰霾的沈積雲變成一陣大雷雨，嘩啦啦降下來，打得他一臉愕然。『我哪裡惹你了？你動不動就喃喃自語、要理不理，看到我臉色就沈下來，你不再願意聽我說話，你越來越把我當成一個工具！像一塊家中的破抹布一樣……』

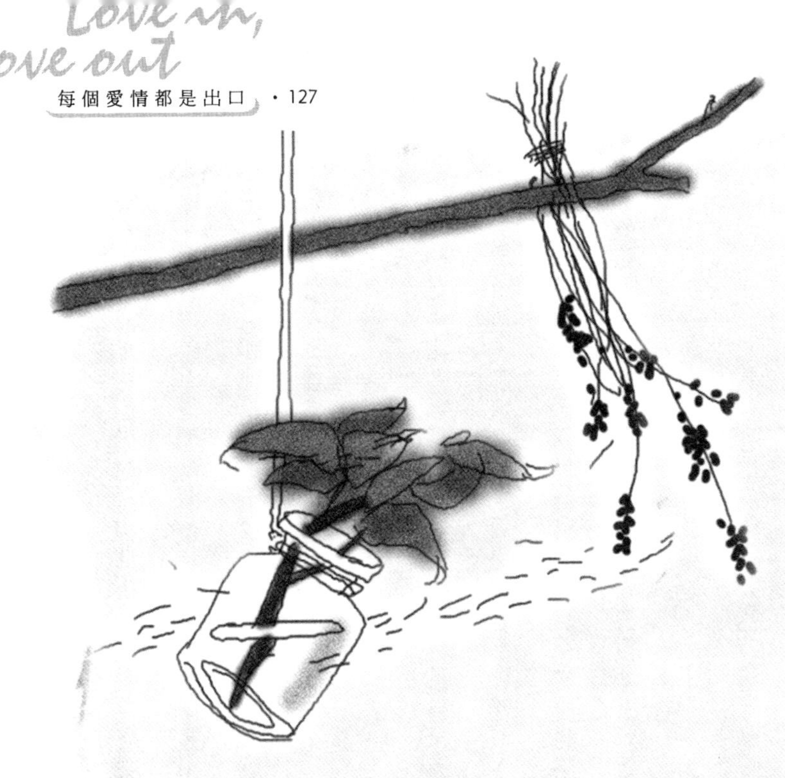

『怎麼是妳先講出口的，我才覺得妳……』

沒等他一句話說完，文若搶著說她未盡的話語：『你不愛我！』

這句話，怎麼又是她先說出口的？這未免太有默契……這些日子以來，獨獨這項相互指控，是兩人口徑一致的。

『是妳不愛我！我本來要先說的……』本來要先說的，只是覺得大男人說這句話有點肉麻。說出來之後，莒光指控的信念開始動搖：她真的不愛他嗎？每天早上，她還是比他先起床半個小時，做早餐給他和小薇吃；她用她細瘦的骨架苦苦支撐了十個月，生下他們的愛情結晶；她在生產陷入半昏迷的時候，口口聲聲叫的是他的名字；她爲了和他結婚，不惜和家人反目，大聲斥責自己的家人愛慕虛榮；再早一點，她在上學時，總是爲他拷貝自己的筆記讓他讀，使實在不太愛背書的他在每一次考試安全過關……

她不愛他嗎？莒光開始懷疑，自己爲什麼這樣想？看文若紅紅的眼眶，像沒關緊的水龍頭一樣，水珠一滴一滴醞釀著，慢慢滾下來……

我不愛她嗎？我每個月的薪水都是原封不動交給她的；家裡的碗是我洗的，地板是我擦的，每一次產檢都是我陪她去的；就算這些瑣碎小事微不足道好了，我爲了她，力爭上游，就是要讓她活得越來越有面子……怎麼放在兩邊的砝碼比起來，我的這一邊好像輕了一點，不如她『愛』我深啊……莒光的嘴唇開始心虛的顫抖著。

忽然之間，天昏地暗，『哇哇，停電了！』文若發出驚叫。

『沒關係，我去拿蠟燭！』莒光說。

沒有蠟燭。手電筒也許放在車裡。莒光遍尋不著時，女兒小薇大叫了一聲：『媽媽，月亮好圓哦。』

猛然抬頭，他看見月光溫柔的裁出一對母女的影子。她們正在窗口看月亮呢。文若的眼眶仍晶晶亮亮的，但嘴角已經往上揚了。

她在笑，笑的樣子仍如當日和他嘔氣、待他陪罪後又輕靈美妙的少女。

『對不起啊。』莒光沒有急著找手電筒，他悄悄走了過去，抱住文若的腰。

好久沒有這麼貼心的時刻，好像全世界只

剩他們一家三口醒著。任何光都不重要了。有一股電源透過她的肌膚流進他的胸口。

看了好一會兒的月亮。

『你爲什麼罵我是神經病？』文若忽然嘟著嘴說。

『我哪有？』他一頭霧水，慢慢把記憶倒帶去看看過去的內容，噗哧一笑，他是在看電視啊。而她正忙，沒聽清楚，以爲他在說她。

『原來是誤會……』她破涕爲笑了。『對不起……』

『妳不會怪我不愛妳了？我最近只是，有點累，沒有調適過來，疏忽了妳……』

莒光說。夜的黑，使他能夠大膽表白自己的心情。

『我也是太累了。要上班、照顧孩子，做些有的沒的……我以爲你最近故意疏忽我，也不知不覺擺出沒有表情的臉來……』文若說。

『這不就是惡性循環？』他在她臉頰親了一下。滿月的月光在黑壓壓的雲層中揑出一大片寧靜的浪漫。這樣的景色，他是很願意與她共享的，雖然孩子不解風情的大聲唱著：『糟——飛機，糟——飛機，糟——到天空裡！』……

他是愛她的，她也是愛他的。在他們愛情生活中，一次美妙的停電，使他們在孩子睡了之後，得以享受類似當時『偷嚐禁果』的激情。儘管，他還是在烈火焚身時，免不了想到辦公室工讀生飽滿有彈性的小腿，他沒告訴文若；而文若也沒告訴他，在最美妙的一瞬間之前，浮現在她腦海的是李奧納多・狄卡皮歐……這怎能說出口呢？

陷阱

沒有什麼事情可以一步登天的，
包括愛情的遊戲。

婚姻菜市場

讓我們躡手躡脚走進婚姻的菜市場，聆聽各種討價還價的聲音。

這一段對話，是在台北縣某三溫暖中發生的，兩個身材略略發福的婦人，正在討論某一個年輕女人的婚姻——

『她嫁得怎樣？』

『還不錯啦，只是婆家人口很多，晚餐輪她做菜，很辛苦。』

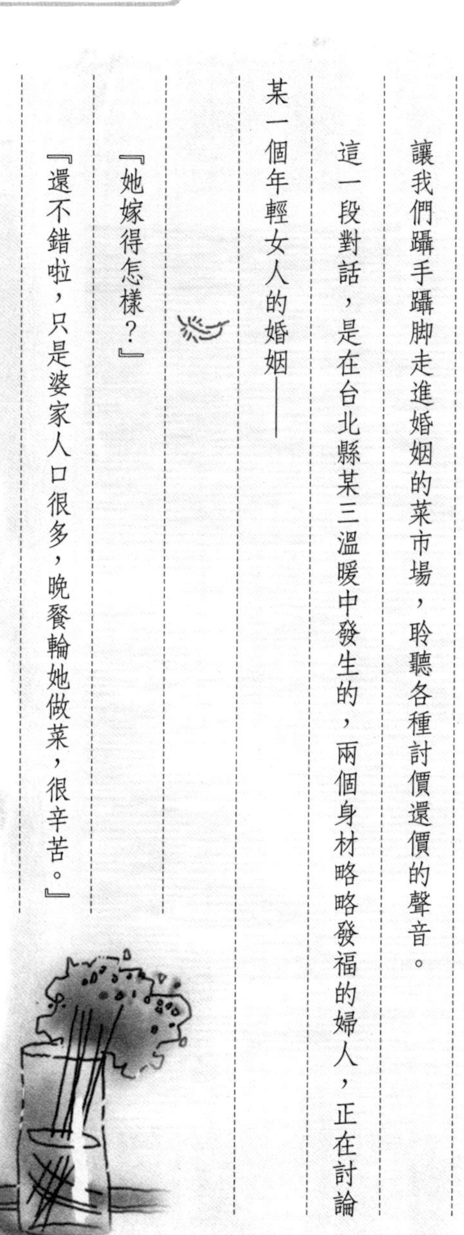

『多少人？』

『少說也有八、九個哦……』

『要洗碗嗎？』

『好像不用。是小姑做的。』

『那還好啦！』頓了口氣又問：『要洗衣服嗎？』

『好像不要。』

『那也還不錯啦！』口氣轉爲羡慕了：『這樣很公平啦，不像我在我家，要煮菜、洗碗、洗衣服、拖地，我頭家像縣太爺、只會蹺脚做阿爸……只會洗他的寶貝車……』

『會洗車不錯啦！我們家那個，連洗車都要我幫忙……』

『你們家那個會不會接小孩？』

『會是會啦，總要會一樣。』

『男人有這樣要偷笑啦！』

『也只能這樣想，不然哪嫌得完。』女人喘了口大氣，在蒸氣瀰漫的中藥美容室裡，起身抬抬腿、扭扭腰，說：『這裡好舒服。』

『可以像我們這樣出來散散心、洗三溫暖的，很幸福啦……』另一個女人爲這一階段的談話作了結論。兩人相視而笑。『免嫌啦……』

隔著朦朧霧氣，我偷聽知足常樂的婦人閒話家常。女人判斷婚姻的標準，在婚後通常變得務實起來，婚前引用的標準毋寧是抽象的，你愛不愛我啦，心裡是不是只有我啦；婚後她們常馬上改由具體事由來診斷，小計小較一下，很像提著菜籃到傳統市場的歐巴桑，買一包雪裡紅，要附兩根辣椒；買高麗菜一球，送一個蒜頭，她們就心滿意足了。所以一個男人會洗碗、洗車、接孩子……其中的一項，就算是婚姻的『紅利』。

我常常偷聽尋常中年婦人談到她們的婚姻，她們的切入總是很具體的，具體得很有趣。她們會說不浪漫沒關係啦，這個不做會那個就好啦，再懶的男人也會爲他找一樣特長。我感到自己好像被她們的談話引入了一個婚姻的菜市場，裡面討價還價的聲音有人世的詼諧逗趣。

這是四十歲以上、一輩子應該會留在婚姻中的女人習慣上的婚姻菜市場。如果我們讓自己的耳朵年輕一點，到一對有點熟又還沒完全死會的二十歲男女朋友旁邊，會有不一樣的討價還價聲音：

『喂，阿雄，』看著珠寶店橱窗的都市時髦女孩似乎不經意的提起：『小敏的男朋友好像不錯哦，她生日的時候送她一個和這個差不多的鑽戒。』

『鑽戒，又沒有用，多浪費錢哪。』男孩不太解風情的說。

『哎喲，你怎麼可以這麼不浪漫！那是心意啊……小敏那個鑽……好像沒有這個大……小小的而已，不會花很多錢的……我生日，你會不會送我一個？』

『我……看看啦……有錢就會……一個多少錢？』

『那就看你的心意囉……』

『那……如果我送妳鑽戒，妳會不會對我比較好？』

在戀愛中男人總是情不自禁的想到投資報酬率的問題。

『會啊，會啊。』踩著十公分矮子樂涼鞋的女孩用嬌嗲黏膩的口氣說。

如果你想聽到另一種討價還價的聲音，我們可以來到一個咖啡廳，兩個五十多歲的女人面對面而坐，她們微笑的互相凝視著，眼神中卻也有一種端正冷肅的表情。

『說眞的，我們家阿婉嫁到你們家，是我們的福氣。親家母，其實我們也是很隨便的，對婚禮沒什麼特殊要求，跟一般人一樣就好……』

『親家母，妳儘管開口，我們會辦到的……如果能辦得到的話……我們也不要阿婉有什麼嫁粧，娶個媳婦像多個女兒，婚禮適當的風光一下應該的，但也不要太……』

『是這樣的，訂婚的餅至少要一百盒，親戚多嘛，沒辦法，前一個女兒跟這一個，都要一樣，不能厚此薄彼；還有，我們雖然不想收聘，但是怕親戚看笑話，也要意思意思……』

『妳說，妳說……』另一個女人臉色凝重的等著答案。

『小聘十萬，大聘二十萬，不過這些錢，我們會用在新郎身上，訂婚酒席是我們付的，我也會幫你們家阿正買一套名牌的西裝……』

『是，是，是……』親家母的臉上閃過一絲複雜的表情，好像在說，我們又沒要你們家嫁粧，妳的要求還真不算少……她忽然轉了話題：『這些以我們家的家庭環境來說，沒問題啦……不過親家母，有時妳也說說他們，妳對我兒子說話，比我說的中聽，他到朋友那裡拍婚紗攝影，一拍就花八萬多塊，很浪費的……』

如果你想聽一個女人內心對婚姻的討價還價，那我們就裝個針孔攝影機到我某個朋友的婚姻協談中心吧！已經把眼睛哭得紅腫的女人，一邊說起丈夫揄著她的頭髮撞壁的經過，臉頰上還源源不絕的披掛著淚珠。

『徐太太，妳有沒有想過要……？』

『有啊……怎麼沒有……我已經開了三張甲種驗傷單……鎖在保險箱裡……』

『那爲什麼不……』

『我的孩子還小啊，他們恐怕不能接受沒有爸爸的事實……』

『家庭暴力對孩子心靈的影響更大，徐太太……』

『可是……他不會打孩子，只是有時對他們嚴厲了點……』

『可以請妳先生一起來談談嗎？』

『不會，他不會來，他知道我來這裡，一定會又把我打個半死的……』

『妳還想要忍多久呢？妳認爲我們可以爲妳提供什麼樣的協助呢？』

女人用面紙拭乾淚痕，抽抽噎噎的說：『不知道，我眞的不知道，不過，他雖然會打我，但是他一定會道歉，會後悔的。我找徵信社查過，他在外面……並沒有女人，他是不是不算……太糟？』仰著天眞的臉龐，她看著皺著眉頭的婚姻專家。

菜市場裡面有各種討價還價的聲音。有的市場比較浪漫一點，叫嚷的是像『期貨』

一樣——在今天看不到，和明天賭得失的東西，像幸福，像天長地久，像白頭偕老，像永浴愛河。

我們用某些心中既定的條件在bargain，有些時候在『愛』的名義下可以犧牲局部條件、甚至全部的原則，會妥協、會讓步、會以退爲進。我們在市場中討價還價，還以爲崇高。我們動不動批評別人現實和物質化，並不是因爲我們自己不現實、不物質化，只怕付不起對方要的價錢，或覺對方不值那個錢。

有人説現代人現實。並不。古代人的婚姻市場未必不現實，只是由媒人先行探看而已，看是否門當户對、男人是否有家業、女人是否能生養；有時用的標準聽來崇高，動不動舉出四維八德三從四德，説穿了還是爲利益計，符合某些條件才能宜室宜家宜子孫，不然要他來幹嘛？如果失大於得，沒人看好這姻緣。

婚姻像市場，古來就如此了，別怪現代人現實，只是衡量的標準沒那麼風雅。

像林黛玉，就是因爲不符合婚姻市場的選美標準而被淘汰的。雖然，薛寶釵也沒因雀屏中選而快樂。合乎標準，討價成功，不等於買了保單。

婚姻無可避免的帶有『市場性格』，問題是我們這些自認爲不那麼庸俗的人們，還希望有不必討價還價的東西，希望有『愛』。在浪漫愛與市場條件間，多少人徘徊著？

沒人愛便罷，多少能妥協多一些。若有人愛，有超過一個以上的情人或可能對象可供選擇，我們就很容易像待價而沽的貨物一樣，這個比比那個秤秤，忽略了最適合的買主，只是想賣個別人眼裡響叮噹的價錢。『嫁入豪門』就是這樣的心態。

什麼時候人們才能理直氣壯的說：『沒有原因，管人家說他如何，管他有什麼，就是愛他，所以選他！』太年輕和未經世事的不算，傻人總是有傻膽的。

如果你夠聰明，已飽嘗世間風霜，擺盪多時，曾被人出價來出價去，過盡千帆皆不是，忽然遇到一個人，你對自己說，就是他，管其他人怎麼說，我就要他！——那必定是眞愛了。

眞愛千載難逢、十世難修。就去吧，誰管眞愛到幾時？對已覺年華已如流水的人來說，錯過比錯愛教人痛惜。

不在

很多女人抱怨男人的缺席。

當他認為妳已經是自己的東西之後，有些男人不再那麼積極，或者，有些男人本來就不是那麼積極。

有些男人把生活上的共同參與感當做是雞婆，理所當然惟事業是問，他們當然覺得沒有什麼重要場合不能缺席。相對之下，女人對參與男人的事業或應酬『雞婆』許多，如果男人要她們出現的話，她們一定會像鸚鵡一樣努力炫耀自己的羽毛。

有些男人是被女人寵壞，女人假意說，沒關係，他們真的以為沒關係，於是形成一種惰性。事實上女人把每一筆帳都記住了。

奇妙的是這樣的男人偏偏常是在職場上相當負責任的男人。很多人再聰明，卻也不懂，隨時會有一場盛宴，在你所愛的人的生命中等待，有時你的參與是錦上添花，有時是雪中送暖衣；有時他邀你吃的那頓飯難吃得要命，讓你吃得心不甘情不願，但你不可以不在，因為世界上所有的一切都可以挽回，只有時光撿不回來。有些好女人善於等待，善於忍耐，但是在她生命中的重要時刻，你不可以不在。錯過，代價太大，大到你精神宣布破產，你都支付不起那樣的負擔。

你錯過一場孩子邀請你參加的學校運動會，很可能會為他留下童年的陰影。你忘了探視她父親的病，很可能使她懷疑你根本不是個宜室宜家的好對象，不敢託付終身。你並不知道，為了省十五分鐘，要付多少代價。

最精於理財和寫企劃案、算損益表的男人，常常這樣虧大了，竟不自知。

算算我們究竟欠了多少債？那些不能不在的不在？

我欠的也不少。其中有一些，無法挽回。在我弟弟去世後，我為我沒有參加他的大學畢業典禮，一直做著噩夢，那變成我永遠無法贖罪的罪惡。沒有什麼理由，我不能原諒自己，也許他並不在意，也許他根本就忘記……

為什麼我要省那一兩個小時的時間來換得終身遺憾？

遲到十分鐘，你可能跟今生最愛的人緣慳一面；一個要命的缺席，會讓你最親愛的人暗暗恨你到海枯石爛；我從此有些戰戰兢兢、惴惴慄慄，生怕自己一次不小心的缺席，使我的背上多了沈重如慢性病的十字架。

♥

她想她是個遲鈍的人，結婚六年之後才發現，身邊的男人很可有可無也很可惡。

他在別人眼裡仍然那麼的傑出。在各媒體上已經有相當顯赫的聲名——雖然他的薪水在和其他中產階級專業人士比較起來是那麼的微不足道。他年過三十五，但仍有稚嫩的微笑，很多女人說他不說話、微微蹙著眉頭時看起來很有吸引力——只有她知道他心裡有一個沒有長大的小孩，而他常以沈默來掩飾他的難以和正常人和平相處。

他們說他說話有內容，思路清晰、井井有條，說他是目前社會少數菁英；只有她明白，他連馬桶怎麼修都不知道，也不曾自己買過一個電燈泡。

發生重要政治社會議題的時候，他都在；但在他生命的重要時刻，他總是放鴿子。一連串的事情讓她想忘掉卻忘不了，使她在自認為進入『老夫老妻』的階段後，忽然覺得自己忍了這麼久，其實是為了對他展開一次張力十足的報復。

他們認識很久了，大三那年，他以勝利者的姿勢追走了她這個笑起來甜死人的校花。他在她面前曾自誇攝影技術天下無雙，並且在畢業典禮前夕，口口聲聲的答應來為她拍照。那天，陽光良好，而穿著粉紅色小禮服的她打扮得十分嬌美動人，不斷有一些不相關的人士、同學的男友等來替她拍照，就是他沒有出席。她汗流浹背的站在椰子樹下等了又等，等到哀莫大於心死，還想到他是不是在趕往她的畢業典禮途中給車子撞死，心急如焚。典禮結束，她回到家，打電話給他，他以沒睡醒的口氣接了電話：『喂，是誰啊？』

他忘了。還有藉口：『啊，對不起，昨天在報社加班，三點才睡……』

他哪一天不是三點才睡的呢？

她原諒了他。出於一種母性的包容，好女人應該不計較的，不是嗎？

一連串大大小小的放鴿子行爲在她們相處的過程中不斷的發生，總是他道歉，她原諒。甚至在新婚洞房夜，他也放了她鴿子。她以爲他剛剛被灌酒灌醉了，體貼的對他說：『洗完澡後好好休息吧！』意思是，不急著做消耗體力的工作，反正將來已牢牢握在手上，地久天長。本來睡眼惺忪的他在她洗澡時卻不見了，新婚之夜，就讓她獨守空閨，等到天亮他才摸回來。『你去哪裡？』她欲哭無淚，眞的要翻臉了，不好的開始，對婚姻是一種詛咒。『哦，忘了告訴妳，是小張阿德他們，硬要我陪他們喝一杯，累死了，可是如果我不去，他們會笑我的，做朋友要有一點義氣啊！』

那麼，對妻子就不要有義氣囉？她生了幾天悶氣，最後又找了藉口原諒他，是的，那天他和小張和阿德在一起沒錯，又不是在別的女人的床上，原諒他好了，不然，她能怎樣呢？一結婚就吵著要離婚，不笑掉大牙別人也會說小心眼，對老公的朋友道義如此不諒解。

她是個立志當賢妻，要裡外兼修、家庭事業兼顧的那種女人。很快的，她要自己別計較他在洞房花燭夜的缺席。雖然她沒有忘記。

怎麼可能忘記，一個女人人生中最重要的日子，不是做與不做的問題。

不久，除了她父親的六十大壽之外，他又在她人生中最重要的另一個日子缺席，她永遠記得她在半夜被初次的陣痛驚醒時，心裡的那份慌張與無助。床的另一邊是空的，發生了重大空難事件，他還在公司開會，（還是和朋友在小酒吧裡閒扯淡呢？）她不知道，總而言之，她找不到他，她一個人開著車上醫院，在陷入昏迷之前，要護士記住他的電話號碼，拜託她們一定要找到她的親人。掙扎過後，聽到孩子哇哇的哭聲，他總算出現了。他是她的親友中最晚一個抵達的，她父母住在新竹，竟都比他早來。

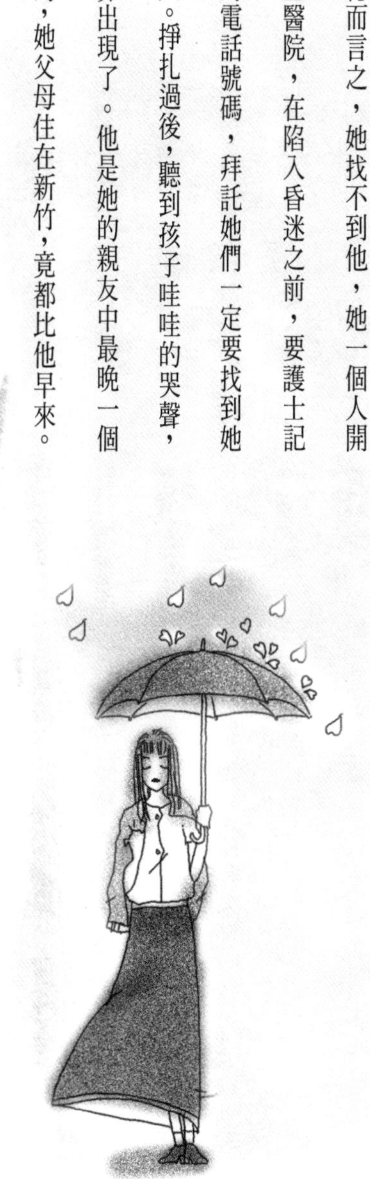

看在他是孩子父親、抱著孩子又親又摟的份上，她在表面上又原諒了他爲公而忘私。此後她懶得和他計較他的不在了，泡牛奶的時候不在，換尿布的時候不在，找托兒所的時候不在，她失業那天不在，在她轉而投身傳銷界的時候，他冷冷的說了聲：『老鼠會啊，不太好聽吧。』她業績第一的升級頒獎典禮上，他理所當然的不在；她變成白金級的經理時，他答應要在，但是遲到了三十分鐘，完全錯過了她的精采告白。

一個女人如果連男人一連串的放鴿子行爲都能忍耐了，對於客戶，怎可能沒有百折不撓的好脾氣？

她不是無怨的。對他的恨意是來自，他在抱怨最近頭髮掉了好多，問她有沒有特效藥可以治療的時候，她忽然發現自己一邊塗著口紅一邊對著鏡子猙獰的笑了起來，她一點也不同情他，反而很高興，他終於遭到了報應。『我是從什麼時候開始恨他的？』她追溯這一條河流的起源，清清楚楚的發現，是從畢業典禮被放鴿子時就開始的，她以爲自己是個寬宏大量的女人，她沒想到自己竟然沒有忘記，當時那種心酸得像泡進醋桶裡的感覺，所有傷痛的淚流湧進心裡，竟已在她心中匯聚成一湖死海。

她發現，她處於這個婚姻這麼久，是爲了報復。在他人生的重要時刻，她善盡職責，從未缺席過，比如他的老毛病氣喘發作，跟她說『藥藥藥……』的時候，還有他三更半夜回來說『有沒有東西吃……』的時候，她總是用很快的動作使他得到最迅速的滿意和舒適。還有在他母親生病、弟妹結婚、他在公司領個小獎，她都讓他風風光光的度過了，讓他跟同事自誇道，老婆耐看又耐用；她如此努力，只是把恨意釀成酒，想要等待一個最好的時機，讓他明白什麼是最惡意的缺席。

終於有一天，她等到了一個好時機……

他自小有氣喘的毛病，所以他一直很小心，身邊可以連一塊錢都沒有，但不能沒有救命的藥。這一次，他竟然忘了，藥已經用完了，他爲公司近日的鬥爭搞得精疲力盡，竟然忘了到家庭醫師那裡拿藥。

他以急促的呼吸說：『藥，藥在哪裡？』的時候，她心裡有根絃被觸動了。

她呆呆的站在黑暗中好一會兒。『要怎麼辦？』她問。在睡夢中被吵醒的她，看見自己心中那個沒有被理智遮住的，獰笑的影子。

『去幫我拿啊。』他呼吸困難、喘著大氣，兩隻手在空中亂舞。

『哦，可是現在是三更半夜……』她的冷靜超乎自己所能想像。

先打了電話，是電話留言；她記起家庭醫生曾告訴她，全家要到帛琉度假的事情，看來只得在這個下著傾盆大雨的冷夜裡，送他到附近醫院掛急診。

她費力的讓他上了車，發動車子，雖然路上的車子已經不多了，她卻只願緩緩的催著油門，『快一點啊，妳在做什麼？』她轉過頭，還給他一個輕輕淡淡的微笑。與他四目交接的時候，她感覺，他已讀出她的眼眸之中藏著的那個魔鬼的影子。有幾秒鐘的時間，他被怔住了，連喘氣也不敢，睜大著眼睛看著她。

『如果我在這時候叫你下車，放你鴿子呢？』她溫柔的說。

夜凍結在死神的懷抱裡。他沒出聲，她笑了，然後催了催油門，向醫院駛去，這樣，她已經滿足了。她畢竟是個好心的女人。愛已盡，剩下的，叫做責任吧。

他不是個笨男人，這一次他學得了教訓。一個月後，他看到家裡的佈告欄上釘著孩子幼稚園抽籤的通知單，問她說：『這一次，我去好嗎？』頭低垂著，彷彿在向她懺悔，他所犯下的錯。

她拍拍他的肩，『我們一起去吧！』這一剎那，她又原諒了他，他會信守承諾，還是會給她更大的失落呢？老實說，她不知道。

刁難

我們不都是希望一切順順利利嗎？在事業上，是的；生活上，是的；刁難是愛情中最狡獪的字眼。愛情上呢？好像太順利，就不是一齣好戲。

我們怕情人們覺得太容易得到，就不曉得珍惜，所以在『被得到』之後，可能會成為弱勢者的人——在我們的婚姻文化中，通常是女人——在男人追求她們的時候，以刁難測驗男人的真心，明明是心花怒放，約我三次，偏偏只同意他一次，『讓他感覺我可不是那麼好到手的』；明明心裡很愛他，卻說我們分手吧！逼出他的眼淚，以證明他真的想天長地久……

很久很久以來，彷彿是天生似的，女性——尤其是美麗不怕沒人追的女人，都有這樣的伎倆，在本來可以平坦的愛情路上放幾塊絆脚石，讓他扎幾次脚，看他遇到困難了，還要不要往前走；像童話裡頭的公主，要白馬王子到森林裡打敗巨大的惡魔，等他凱旋歸來，再親吻他英勇的脚趾頭……

你發現了嗎？追求的階段結束之後，刁難還可能在愛情的歷史中繼續發展著……

她往前仔細推敲，他對她的刁難是從五月五日那一天的馬桶蓋事件開始的；在這之前，他是有點陰晴不定，但她並沒有過問他為什麼心情不好。決定同居前，他們曾經就一些相處上的原則進行溝通（所謂溝通，就是他講她聽）。

他舉了暢銷一時的《男女大不同》做例子，說男人心情不好的時候會像狗熊（她忘了他舉的例子是熊還是狗熊）一樣，只想躲進山洞裡，他也是，躲五分鐘就好了，別理他，也別問他到底怎麼了，他會慢慢修復心情的。」她同意了，每個人都有自己處理情緒的方式嘛！身爲現代人，得尊重另一半的原則。

『女人就不一樣了，女人在心情不好的時候是需要關愛的，所以我應該好好關心妳……如果妳覺得心情不好，請告訴我……』杜偉頌說。

舒慧很少有心情不好的時候，她媽說她，天生少了根筋。『我家女兒的最大好處是，情緒穩定，從來不會東想西想，她覺得天底下的人都是好人……被人賣了還會爲人家數鈔票！』

舒慧從沒覺得這樣平平靜靜，不會起波瀾的個性有什麼不好，雖然有時候她會懷疑自己是不是不太聰明，可是她到底還是沒怎麼拚命就從國立大學畢業了，又考上新聞行政人員高考及格。

呀，可見不會想太多，不是智商的問題，是個性天生大而化之，就像不同的兩極常會莫名其妙的互相吸引一樣，她愛上了喜歡東想西想，只要眉頭一皺就彷彿掉進另一個世界裡的同班同學杜偉頌，他當完兵之後，要求和她住在一起。

『好啊！』她想也沒想。就跟他第一次問她：『今晚願不願意和我去看電影？』時一樣，舒慧想也沒想，頭一偏，笑了笑，就答應了。

『爲什麼妳答應得這麼爽快？』提出要求的杜偉頌反而皺著眉頭問了：『爲什麼？』

『哦……』要舒慧這樣一個人去想任何『爲什麼』的問題，眞是傷她腦筋：『你要這樣，一定有你的理由囉！』

『妳這麼信任我？』杜偉頌問。

『你強迫我看的《男女大不同》這本書裡，不是寫著，男人最需要的是女人的信任嗎？所以我信任你，有什麼錯呢？』

杜偉頌這才佩服起她聰明而坦率的回答：『我就是喜歡妳這個樣子……妳眞是……超乎尋常的善體人意啊！』他說。

於是他搬進她租的小套房，過起小夫妻的生活，他說等他存到一筆可以買二房一廳預售屋的頭期款，兩個人就訂婚，房子的錢付一半之後就結婚。目前兩人的租金和生活費由她出，房子的錢由他存。舒慧沒有異議，她覺得挺公平的，『那你的負擔會不會太重啊？』她憐惜的問。

『爲了妳啊！』杜偉頌摸摸她的頭說：她喜歡他摸她的頭，好像她是一隻可愛的小狗，舒慧喜歡狗，這種聯想讓她很愉快。

五月五日，她記得那麼淸楚，就是因爲那天是她的國曆生日：忘了祝她生日快樂也就算了，他在她之後上廁所，打開廁所的門，對著正在穿衣服準備上班的她板著臉說：

『我說了多少遍，妳上完廁所，馬桶的坐墊應該掀起來的！』

『對不起啦，我以後會……會掀起來就是了。』舒慧實在不覺得這是什麼嚴重的事。

『妳根本沒有誠意要改過，妳的生活習慣眞的太差了！』舒慧道了歉之後，杜偉頌還是咕噥了幾句。老實說，舒慧並不覺得自己有錯，以前她自己住的時候，根本不用掀起馬桶坐墊呀，爲什麼男人在小便之後不把馬桶坐墊放下來，片面的要求女人把馬桶坐墊掀上去？但她可不想跟他計較太多，算了，生活要互相體諒嘛。

她正在化粧時，又聽見杜偉頌在浴室裡大叫一聲：『我的隱形眼鏡掉了，快來幫我找！』

舒慧的眉毛才畫了一半，趕忙過去幫他找，彎著身子在地上摸了半天，還一邊聽杜偉頌在那暴跳如雷的嚷著：『倒楣倒楣，衰透了！』搞了半天，杜偉頌自己在洗臉檯上找到了：『好了，妳別找了，我自己找到了！』一聲謝也沒有，好像她是他請來的菲傭。

大約是在那個時候，舒慧發現杜偉頌對她的脾氣變壞了。

他什麼都有意見，對她的新髮型有意見，諷刺她和一堆『三姑六婆』的朋友一起聊天是自甘墮落，有一次還明嘲暗諷的說，她煮的菜很像給豬吃的餿水。

舒慧買了幾本食譜，依樣畫葫蘆，還向已經當了多年媽媽的同事要一些家常菜秘方，還打電話給杜偉頌的媽媽，問她兒子從小喜歡吃什麼。杜媽媽的答案頗爲出人意表：『偉頌啊，從小就很好養了，他什麼都吃啊，我常笑他是小豬，給他什麼都吃得精光！』

如果舒慧在人情世故上精明一點的話，她老早該知道有問題了，但是她還是很謙遜的把焦點放在『自己可能做得不夠好』這件事上；杜偉頌在某個週休二日的星期六晚上回來，發現她一個人懶洋洋邊吃洋芋片邊看電視時，嫌惡的瞪了她一眼，說：『妳這是什麼姿勢……零嘴吃那麼多，活像一頭豬！』她聽了雖然覺得他有點過分，但還是跑到鏡子前面轉了個身——舒慧發現自己是比以前胖了，拿出從前最合身的衣服來試穿，哎呀，果然套不下去。

她趕忙去參加斷食療法的課程，餓得兩眼昏花，直到自己回復穠纖合度的體態為止，決定恢復正常飲食那天，她問杜偉頌：『你看，我的身材又瘦回來了喲。』

杜偉頌正聚精會神的看著晚間新聞，沒聽到她講話。非要舒慧把身子擋住了螢光幕，杜偉頌才正眼瞧她：『走開啦，我要看朱美美播報新聞！』

那個朱美美，不就是她和杜偉頌的大學同班同學嗎？同班四年，看得還不夠多？以前杜偉頌還在背後裡說愛打扮的朱美美是『醜人多作怪……』

『奇怪……人出名了，好像也變美了，她比起以前來，氣質好很多……』杜偉頌嘖嘖讚美：『從前怎麼沒發現她的潛力，早知道就追她……』

『你以為你是誰，追誰都追得上啊！』這下子，舒慧再好的脾氣也壓不住怒火。

『妳這麼激動幹嘛？自慚形穢呀？』杜偉頌對她說話怎麼這般刻薄？舒慧愣了好一

晌。她冷靜的想了一下，杜偉頌最近是不是工作壓力很大呢？不然，爲什麼有這麼大的改變？

『你最近怎麼搞的，老是挑剔我，拿我出氣！』舒慧發作了：『我怎麼做，你都不滿意！你是不是工作有問題，壓力大沒處發洩！』

『跟妳在一起，壓力才大！』

杜偉頌冷冷的看了她一眼之後，猛然丟出這一句話。剎那間，舒慧天旋地轉，她忽然意識到自己平平靜靜、一帆風順的人生，已經掀起驚濤駭浪了。任她怎麼努力，也無法平息風浪……

『爲什麼？』她用顫抖的聲音問。

杜偉頌良久不答話，最後，才嘆了口氣說：『認識這麼多年，我不得不承認，我們……個性不合！』

個性不合——世界上誰和誰的個性是完全相合的？好模稜的藉口，就用這四個字來打碎她的七年感情，她人生的第一次戀愛，離開她的第一個也是唯一的一個男人嗎？舒慧流了滿臉淚，咿咿嗚嗚的哭著，杜偉頌不理她，轉身繼續盯著他的『偶像』朱美美，好像進入另一個世界似的……直到新聞結束的廣告時間，才又拋過另一把刀子來：

『妳哭的樣子醜死了，我看不下去，我要出去！』

杜偉頌此後就不在她在家的時候回來。

她本來打算以一生相許的愛情，歷經男人整整三個月的刁難，宣告結束；舒慧退了租約，另找一間適合單身女子的小套房。杜偉頌在退房的最後一天才把自己的東西全部清走，她問他搬到哪兒？他攤開手說：『天地之大，怎會沒有我容身的地方？』仍然一派瀟灑。

一個人的生活，剛開始有些寂寞，但舒慧也不敢一直的哭哭啼啼，想到他罵她『醜死了』的無情嘴臉，她連哭都受到壓抑。一個人住也有好處，不必戰戰兢兢的擔心馬桶蓋有沒有掀起來，他是不是又找不到隱形眼鏡了；她也覺得自己燒的菜滿可口的，不必再聽到他無理的刁難。

舒慧從感情中抽身之後，才發現『動輒得咎』的日子很不好過；杜偉頌如果繼續拿大大小小的事挑剔她，少根筋的她恐怕會變成受虐狂。

一個人的日子很難打發，有一回她呆呆看著電視，不知怎的就轉到朱美美新聞的那一台，盯著朱美美，舒慧越看越不甘心：『想當初在唸大學的時候，大家都說我比她清秀漂亮多了，我成績也不比她差，口齒也不比她不清楚，我好歹也可以跟她比一比！』她辭掉那個因高考及格而得來的鐵飯碗，閉門在家苦讀大衆傳播研究所的書，又上舞蹈班、表演班、潛能開發班、化粧班加正音班。這是她人生中第一次咬緊牙根驅策自己，她想跟自己幻想中的情敵拚一拚！

上潛能開發班時竟然遇到杜偉頌的女同事，那人神秘兮兮地說：『杜偉頌跟我們公司總機小姐結婚五個月就生下兒子了，妳知道嗎？』舒慧大驚失色，只能勉強維持鎮定，點頭說：『嗯，有聽說。』算算他的新娘懷孕日期，竟是在他開始找碴的五月五日之前……說難聽點，原來他是用這個方法逼她離開來減低自己的罪惡感的……難怪他處處看她不順眼，因爲心早不在她這邊！

舒慧難過的抱著枕頭放心的哭了一晚，哭的是自己的笨。人家刁難她，她還自以爲EQ很高的忍了下來，還以爲自己改了就沒問題，啊！她全弄錯了。她照著一個故意指示錯誤的路標往前走，當然怎麼走都達不到目的地！他不是因爲想要她更好而刁難她，朱美美並不是她眞正的情敵。

可是，照著一個故意指示錯誤的路標往前走，也可能讓一個人擁有了前進的動力。

杜偉頌的兒子滿兩歲，總機小姐到處跟公司同事哭訴自己丈夫『小氣、只想佔她便宜、處處挑剔她』的那年，舒慧已經快拿到了碩士，又堂堂正正的坐上主播台，和朱美美一別苗頭了。各種收視率調查顯示，她比朱美美受歡迎得多；更重要的是，她的追求者個個都比杜偉頌的條件強。舒慧已經不是從前的舒慧了，她沒有過去那麼大而化之的好脾氣，不再少根筋，在環境的琢磨下，她逐漸有了一些小心眼；趁著廣告時間，她故意打電話到杜偉頌家去：『這是收視率調查，請問杜先生您今晚看的是哪一台新聞？』

熟悉的聲音說出她要的答案：他在看她。說不定，他還用戀戀不捨的表情看她。

他會不會對太太說，早知道就娶那個舒慧呢？她想。如果杜偉頌夠細心的話，就會發現廣告之後，女主播笑得更加明豔動人，即使在播死傷慘重的火災新聞，她仍不自覺的用潔白的牙齒遞出燦爛的微笑。

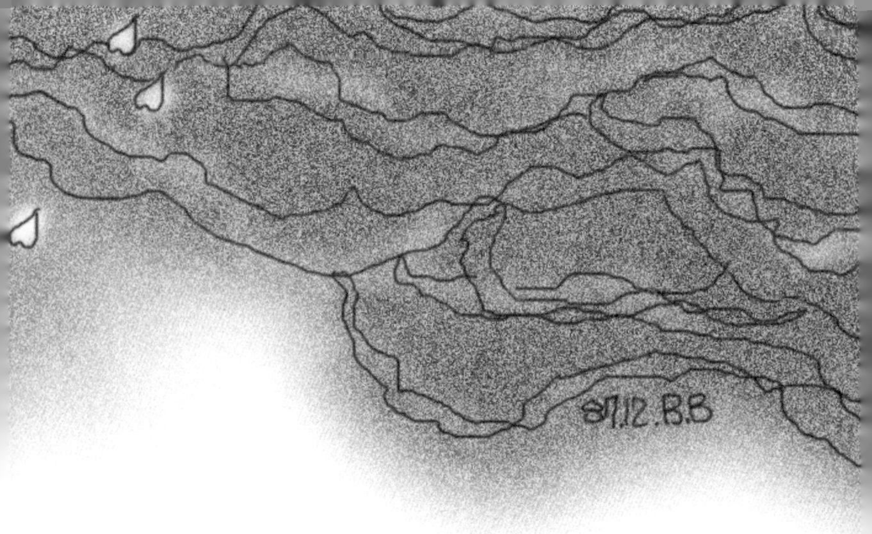

風雨

如果沒有一起經歷過風雨，
愛情是不是容易褪色？

我的壓力眞的大

她以爲她只是隨口問問。即使隨口問問會給他帶來壓力，那也只是小小壓力而已，加起來也只是一連串的『小小壓力』，應該不會構成他口中的沈重壓力吧！

就像……一個專門偷脚踏車的小偷，即使連續偷了一百輛車，都被失主發現，法官也不能判他死刑啊，對不對？

可是愛情裡面『加重刑罰』的處置是隨當事人自由心證的。他要在自己的愛情生涯中判她死刑，她向誰伸冤？

她和他認識一年多。由於從來沒有遇過像他這麼適合當理想丈夫、溫良恭儉讓加上勤毅樸實的男人，所以歷經感情驚濤駭浪的她發願，要好好提醒他一下，好讓他時時把她的重量掂在心裡量一量。她會問他：『你有沒有越來越愛我？』『愛？有多愛？』『如果我將來跟你媽處不來，你會護你媽還是護我？』（她很嘉許他的孝行，但心裡未免也擔心孝順的『副作用』）如果他工作太忙，很抱歉的說：『對不起，親愛的，我要加班……』她也會很小女人的撒嬌，嘟起嘴來咕噥道：『喏，你比較重視工作，不重視我……』（或『你只看重朋友，不看重我……』）她只是嘴巴說說，也從沒眞正因爲他太忙而發過脾氣，不是嗎？

這一天，她大吃一驚。星期天一早，她到隔沒幾條街的他家時，這位宜室宜家的男人正在自家庭院修剪花木，瞧他那兢兢業業的樣子，分明把花草都看成巧笑倩兮的情人。

她走過去拍拍他的肩，假裝吃了醋：『怎麼，花比我漂亮？』

他不像往常那般溫雅，好像『下床氣』未消似的，皺了皺眉頭，說：『連這妳也有話說？』她有點掃興，感覺自己一張熱臉被他噴了一壺冷水，正待發作，偏偏他的母親又在裡頭喚兒子：『哎呀，不好了，我們家旺旺吐了一地呢！趕快帶牠看醫生！』

原先說好兩人要搭火車到十分瀑布踏青的，這下子，給『旺旺』這隻狗拖延了良辰。

他當然得先把忠犬往獸醫院送，她也不是眞的在乎，只是口頭上多唸了兩句：『你喲，眞是的，把你們家狗擺第一位，花花草草擺第二位，我呢，只有苦哈哈的守第三位……』

『妳眞的確定妳在第三位？』一向不愛鬥嘴的他，忽然轉過頭，板著臉看她，似笑非笑。他是開玩笑的，她想。

『妳知道嗎？認識妳以後我的精神壓力很大，妳總是希望我每一刻每一秒都把妳放在第一位——妳有沒有想過，妳這種行爲的出發點不是愛我，根本就是自戀？』唸管理科學的他忽然由沈默的羔羊變成慷慨陳辭的心理分析師：『我一直不想告訴妳，怕傷害妳，可是我也不能一直不說眞話，我的壓力好大！』

『我們還是分開一段時間，冷靜一下！』

他做出這個結論，也沒徵求她的同意，硬生生判她暫時出局。不，不只暫時出局，她心高氣傲的以爲他會打電話來道歉，沒想到一個月無消無息，最後她只有主動打電話到他家，他媽媽的聲音給她『面有難色』的感覺：『他啊，跟朋友出去，沒說幾點會回來……』

好啊，她生氣，他卻這麼快樂，使她更加憤怒。第二天她終於打通他的行動電話，氣鼓鼓的問：

『哼，沒有我你活得很高興，對吧！』

『對啊！』他幾乎完全沒有思考，脫口而出……

『壓力很大』是現代人因爲某人或某事感到精神上不適時，最常說的一句話。他們未必不知道眞正理由，或者也明白眞正的理由不至於導致他們的『背叛』、『逃避』或『不負責任』，可是他們還是爲這些讓他們壓力很大的人或事（有時是很小的事）大大的抓狂！

有趣的是，讓別人『壓力很大』的人，往往從没發現或不願承認，自己就是那個壓力來源——那個卡住可憐驢子的石磨，他們無法了解，爲什麼對方憑這四個字就可以判他出局？

分明，罪不致死……分明是説者無心，聽者有意……我分明這麼關心他，他怎麼可以討厭我？誰願意承認自己讓人壓力很大，喘不過氣來？這比叫站在體重計上的自己坦承體重已經過重、而不懷疑磅秤有問題還困難！

是的，我仔細回想過去點點滴滴，也只願承認，我『可能』讓某些人（未必是情人，可能是工作上的朋友、家人、同學……）感覺到壓力很大，但我很難認爲，我犯了什麼大錯，心中只會有點『卑鄙』的覺得：壓力大是人家承受不起，怎可怪我？

每個『正常人』都有同樣的心態吧？

身爲一個看起來好像很忙的人，不時有人問我，遇到壓力如何解除的問題。我總是很形而上的回答：『不作繭自縛、不逃避，就不會有壓力。』如今我努力思索，發現要做到我說的話，確實要有超凡入聖的功夫。如果給我壓力的是實際工作，我確能『今日事今日畢，不管跟你攪和到幾點』，或者盡量在許多工作間讓自己有休息的餘裕，因之我能自豪的說，多年來不負於工作效率；可是，如果給我壓力的是人的話，我若被迫還要見他，別人看不見時我的抓狂模樣就會難看得超出我的想像！如果是情人——那就更慘了，我會想逃走，希望不再見到他！至少在感受到壓力時，會暗自祈禱他自動消失！

別說人了，就是一個違反我生理時鐘——早上十一點前要到場的約會，也會讓我在前一天晚上『無法自拔』的覺得壓力很大！

有些人讓我壓力很大。分析起來，他們有個共同屬性，就是『控制欲很強』，自戀，不打緊；自私，也可以忍，但要我附和他們所認定的原則、秩序或想法，就會讓我覺得壓力很大！控制欲很強，則多半因爲自信心不足，有時會以依賴感太重的方式來呈現，有時會鴨霸得虎虎生風……

我常必須勉強自己在潛意識『逃走』的警訊亮起時先行『溝通』，因爲我自許做個成熟的人。不過我眞的得承認，和想左右你的人溝通很辛苦，他們會說『我了解』，但那是他的『我』在了解，了解的並不是我。只能自嘲溝通技巧有待加強了。

邋遢

Love can touch us one time and last for a lifetime,
And never let go till we're gone.
Love was when I loved you, one true time I hold to.
In my life we'll always go on.

愛可以逗留瞬間卻綿延一生，
至死方息。
愛是只要我愛你，剎那真實擁有，

在我一生中永遠繼續。

——鐵達尼號主題曲『心無止息』

深情款款的歌總是很美，但是……如果『鐵達尼』沒有在三天內沉沒的話……

感情永遠有一個弔詭，不理性不長久，一定兩敗俱傷；太理性了，一定不好玩。很多看來是兩相情願的情感，在刻意維持和假尊重之名下，變得虛偽了、形式化了。看來工整，其實，卻很邋遢。

在理性與不理性間，誰找得到兩全其美的那個點？

找不到，就忍吧。忍久了，又是病。

好多情人『混』了好多年，不肯結婚，因為太理性的知道，同他結婚，明天不會更好，只會更無聊。好多混了很多年的情人，在分手後，很快的跟一個可能認識不到三個月的人結婚了，因為害怕再混下去，又得到『更無聊』的結局，心下清楚，如果不趕快進禮堂，一輩子也不會有結局。大家『矇』著唱結婚進行曲。

已經經歷過歲月磨練，追求人生安靜一點、害怕再大起大落的人，都同意愛情要有理性。伴侶不是愛人，常是對工作上有幫助的人，或者會讓你過得好的人。有個朋友在談了兩次各糾纏四五年、愛恨交織的戀愛後，忽然跟條件實在不如前二位女友的女孩閃電結婚了，問他為何，他說：『她很好講話，家事做得挺好的，適合當老婆囉！』

沒提到愛字。有愛嗎？我不敢問。這是西元二千年後的愛情趨勢，大家只求彼此相安無事，好過日子。

可不可以多加一點激情的料？看完蕩氣迴腸的世紀末最花錢的愛情巨片後，我這麼想。雖然，激情會被嫉妒、佔有所利用，可能會讓你脫離安穩的軌道，可能會傷得很重，但人生沒有瘋狂過一次，是不是會很遺憾？

不要太算計、太精密、為明天想太多……瘋狂要瘋狂得美，不要瘋狂得醜……道理人人知曉，可是我們現在的愛情精緻而邋遢呀，難怪有那麼多女人，只能獨自在電影院中期待著感人肺腑的片刻發生。

可笑的弔詭也是，我們期待安全感，卻只會記得人生中失序的瘋狂片段。

她一個人看完早場的電影，『鐵達尼號』，本來不打算看的，人擠人，她一向不愛趕這種熱鬧。

尤其當朋友們還有網路上的八卦們一直對她說，看了『鐵達尼號』不流淚的，愛心一定給狗吃掉。她最不喜歡這種帶著威脅恐嚇的話語，好像從前讀書時，老師會說，讀諸葛亮〈出師表〉而不臨表涕泣，是不忠；怎樣怎樣，又是不孝不仁。老套了，連屬於個人的感動也要管轄，有些人，自己的情緒處理不夠，連別人的情緒也要管，眞是討厭。

好不容易等到週六不上班，因爲隔壁在施工，機械聲一大早擾她清夢，她洗把臉晃到附近的電影院，一看，快下片了，沒什麼人，就進去補個眠吧。想睡的她選錯了電影，三個小時結束，臉上除了原有的黑眼圈外，還加上紅腫的眼皮，她希望不會在路上遇到仇人或情人。

明明是拍來想賺眼淚和你的錢的商業片嘛，哭什麼哭。她在冬日難得氾濫的冬陽下嘲笑自己的無聊。

可是很久沒哭過的她淚匣子一打開，竟悲從中來，無法抑止。坐她前排那個同樣是一個人來看電影的單身女子，可能感情狀況非常悲慘，在她還沒打算應該哭的時候，那人就泣不成聲，她心想，女人的眼淚眞沒出息，嘴角往上一揚，微微的嘲笑意味快要被蒸發出來的時候，看到兩個互爲情敵的男人在騙共同愛著的女人上救生艇時，她的淚水又再度被引誘。

女人已經坐上了救生艇，想了想不太對勁，又一鼓作氣的跳上即將沈沒的鐵達尼號，她的淚水又被召喚了一次。

她需要一個大型的除溼機，放在心裡，她想。

走出戲院後，她開始反省這些年來平穩但是loosy的感情關係。在受了商業片的聲色震撼之後，她覺得這樣的愛能以邋遢兩個字來形容。

好像曾經愛過。忘了有什麼不能遺忘的情節。印象最深的是兩人在相約的第一次旅途中，不知怎的看對方不順眼，在原宿拂袖而去，各自在街頭遊蕩了幾個小

時，她回到旅館，發現他已經先回來了，二話不說，兩個人相擁而泣，滾到床邊，很激烈的做愛。方死方生的做愛感覺。

還記得什麼呢？所有的感覺被時光抽空，兩個人大概覺得再談一次戀愛，再陷入火與冰，會換來付不起的疲累，所以一直在一起，身影上若即若離，工作上互吐苦水，吐完苦水還是一肚子苦水，習慣了他做愛的姿勢、穿內衣的款式、用她不太滿意的方式來表達愛的儀式。

除了沒有婚姻關係，兩個人像老夫老

妻，被拉得彈性疲乏的橡皮筋，連改變對方或改變自己的念頭都放棄。

她實在是希望一個可以帶她私奔的男子，給她一點狂野的感受，否則生命如同荒原，不知道什麼是狂喜，什麼是刺痛。

不要沒有味道的一盤菜，沒有愛情滋味的愛情。

她開始推翻自己從前對愛下的定義：愛就是安安穩穩細水長流的說法。如果所謂幸福一定要淡而寡味的話，不如上鐵達尼號，跟一個可能沒有明天的愛人同歸於盡。她很驚訝，自己到了二十八歲還有這麼偏激的念頭，她一向在閨中密友中最理性、也最像女強人，在別人面前從來要強調自己ＥＱ很高的女人。

而當天晚上，她就迫不及待的找到男友，要把自己的新念頭『我們別再這樣拖死狗下去了』說給他聽。

是週六，他早上還要上班，但不在公司。下午，打他行動電話、呼叫器，全都找不到人。她想分手的衝動忽然被疑慮瓦解掉：如果繼續找不到人，是不是第二天自己連這點勇氣都沒有了？是不是會像以前一樣，繼續忍受實在不太好吃的愛情餐，再忍個五年十年，還是一輩子？

到了晚上十點，留答錄給他，他還沒回，而她還沒改變主意，忍不住決定到他住處找他。她有鑰匙，兩人彼此持有對方的鑰匙，但也有不成文的約定：到對方住處，一定得先通知對方才行。從前她覺得這樣的方式很適合現代人的愛情，現在她冷笑著：這是對彼此空間的尊重，還是給自己留點機會自私？太害怕失去秩序的感情，是愛嗎？

他竟然在，從樓下就可以看到他的燈開著，那麼，他爲什麼不回她電話？她也有呼叫器，也有行動電話，也有家裡電話……爲什麼？她沒按門鈴，輕輕轉動鑰匙……

幾秒鐘內，她開始胡思亂想，會有別的女人在他房裡嗎？他們在做什麼呢？她該如何反應？要有風度的微笑著說，別著涼了嗎？還是，你們繼續，我只是來拿東西，不打摑你們？還是應該去給男人或女人一巴掌？不不，這不是她的風格，她很和平。自己怎麼會沒發現，他們之間的秩序，給了對方出軌的空間呢？不，也許沒那麼糟，也許他才剛回來，或者是有朋友在他家，他還不方便回她電話。

『誰？』他在裡頭大聲問，聲音有點驚慌。

她還被胡思亂想所翻攪，不想回話，像一尾魚，沈默的游在黑暗的大海之中。

終於，推開了門——

你希望什麼樣的結局呢？

對不起，這不是一篇有秩序的愛情小說。這是一個我製作的，很冗長的愛情心理測驗。

你可以選擇：

A・有個陌生的女人正和他在做愛

B・他懶洋洋的在看電視，忘了回你電話

C・他才剛回來，可能有事在忙，還沒回你電話

回答A，你對現在的愛人，沒信心到極點，早想離開，愛情正是你不安全感的來源。回答B，你的愛情已經邋遢到了極點，是在死撐活撐。回答C，你還算對他有信心，希望不是找藉口安慰自己。

如果，你真發現了一個服裝不太整齊的女人在裡頭，你會：

A．愣在當地，不知如何是好

B．大聲咆哮，請她出去，或要他馬上選擇，給妳一個交代

C．轉頭就跑，不要看見這對狗男女，再也不理他了

D．不管三七二十一，給她或他兩巴掌，以示懲罰

答A，你相信愛情，根本不認為這件事會發生在你身上。答B，你是性情中人，但在感情上總是因為太衝動而成為輸家。答C，你的自尊心大過你的愛情，至少，別人不

愛你，你還會愛自己。答D……我相信會把這篇文章看到這裡的人，不會答D的，你分明人情世故有耐心了解。若你真的選擇D這個答案，那你的愛情一定絕不邋遢，只是可能很粗糙，這是愛情的弔詭還有分別；打女人巴掌的，是有勇無謀的『俗』女，打男人巴掌的，是有勇無謀的『烈』女。

如果是我——始作俑者的我應該有誠意一點，一起回答這個問題。我選E，以上皆非。我可能會說，抱歉打擾了，沒想到你有朋友在，我們交換一下名片吧！

如果你是床上的那個女人，對我的態度，會有什麼樣的感覺？

一定找不到適合的反應方式。男人也會像見了鬼一樣。

還好到目前為止，這只是我假想中的狀況。『和你這樣冷靜的女人談戀愛，很恐怖啊。還是打我兩巴掌好些！』對我的問題先睹為快的一個男人說。

愛的溫度好難控制。鬆緊之間，好難。看電影打發愛情的欲望，當然比較簡單。

我們都想上鐵達尼談戀愛，但都不想死不是嗎？

不甘

毀滅性的自私，與優美的愛情同在——

不甘，很難以解釋感覺，在我們的人生中，不時會被這樣的感覺嚙咬，有時，它會變成寄生蟲，寄生在心裡，在腦裡，使我們不知不覺的扭曲了性情。

不甘，唆使社會新聞中一個因慣性外遇而離婚的前夫，發現前妻有了男友時，帶著水果

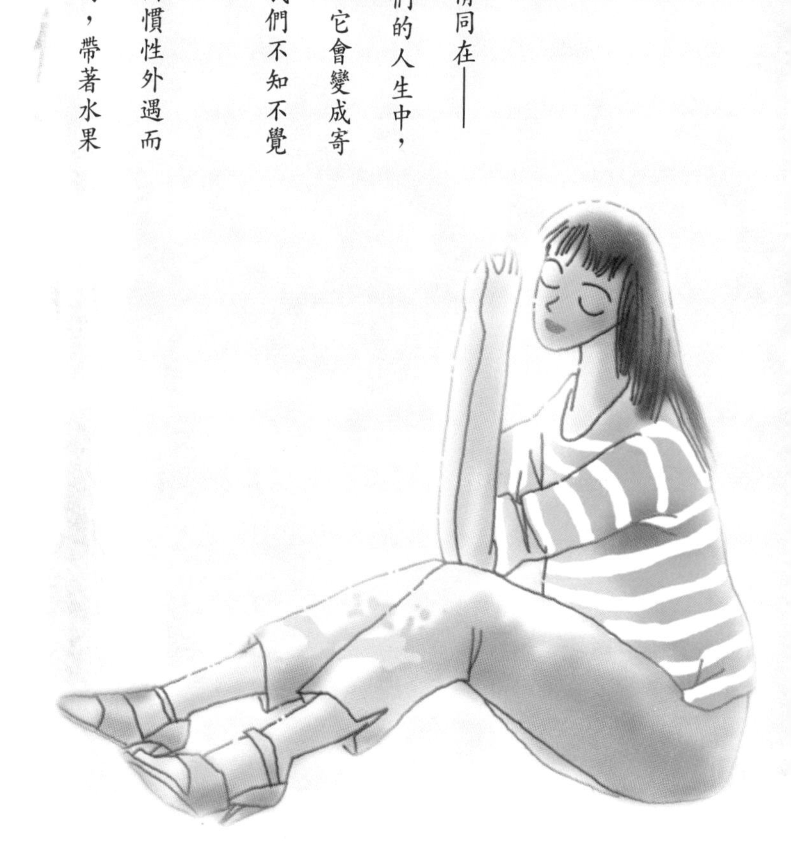

刀想把『姦夫淫婦』殺乾淨。不甘是很不講理的，不論因果關係，不計得失成敗，就是要出那口氣。

為什麼不甘？就是不甘！通常你只會得到這樣的回答。

不甘，是人類情緒中最損人不利己的一個。

有人為了不甘而出氣，有人為了不甘而忍耐。我碰過一個女人，四十多歲了，還有一頭烏溜溜的直髮（顯然前夫在二十年前讚美過她的長髮，或一直有蒐集長髮美女的癖好），她是前夫慣性外遇的受害者，離婚十年，講起來還不甘，講起自己的種種犧牲，還咬牙切齒，講起自己跟每一個『第三者』後來都成為好友（她要說的是，自己多有美德啊，對他如此成全，他還不知悔改，為她帶來更多的『好姐妹』），離婚前已經生不如死了幾年，離婚後她還斤斤計較的打聽他的緋聞。孩子長大，勸她放手了、想開點好不好，她那股氣還在，就是不甘。

有個穿著前衛的大學女生，因為有了條件好的男友，主動跟舊男友說再見，生怕沈默寡言的舊男友，在分手當天騎摩拖車騎太快出車禍，結果，沒兩個月她發現舊男友竟然找到一個學校比她好、身材比她優的女孩，難過得吃不下飯，感覺被拋棄的人是自己。

還有人是屬於競賽性的『不甘』選手，不甘的拿下半生來較量，她隨時留意他的行蹤，不許以前主動跟她說再見的情人比自己的丈夫有出息，結了婚後生了小孩，她還跑到醫院保溫箱去看，發現那個孩子比自己的孩子難看，高興的撫掌大笑。

看，不甘，讓我們扭曲自己的個性，像個馬戲團裡的猴子。唯一不同的是，猴子被逼得花招百出，表演後還可以得到一點食物作犒賞，而我們是自願的，而且無償。

人，因為不甘，有所謂世仇，忘了仇在哪個時代發生，還是要記得那個恨。忘了自己也曾對不起別人，就是不甘。

我們容易原諒自己對不起別人，卻無法原諒自己對不起的人對不起我們。不甘以千變萬化的面貌，存在於情緒中，只要你曾稍微付出過，不甘，就像得到養分的寄生蟲，繼續生存，除非你給自己吞服一劑猛猛的驅蟲藥，把牠打掉。藥得你自己調。

就是有一口氣嚥不下去，如鯁在喉。

王明嫣越想越氣。

才一個月的時間，他有了新人就忘了舊人。『心情不好啊？』和翠屏在pub聊天，聽翠屏聊起邢正平的近況，不知怎的，無名火從腹腔燒上來，整個人忽然像個被煤渣堵住的煙囪，就要爆炸了。

『邢正平好嗎？』是王明嫣先問的。

『很好啊！』翠屏吐了口薄荷煙，語氣平淡的說。

『很好？他沒有心情不好，一樣按時上班？』王明嫣有些訝異。

翠屏和王明嫣的『前』男友邢正平在同一家公司、同一個部門上班；王明嫣原本也是，只是在三個月前，找到另一個薪水較高的工作，換了公司後不久，也換了男友。

她以為被換掉的邢正平仍然在痴痴的等她回頭，他曾答應她，要愛她一輩子的。『如果我不愛你了，你還會對我痴情嗎？』在熱烈的床笫纏綿之後，她雙手像藤蔓一樣圍住他的頸，嗲裡嗲氣的問他。

『我還是會……妳不要問這種不公平的假設性的問題嘛。』邢正平說。

『不管，你要回答我Yes或No！』

『好，好……』

邢正平脾氣好，對她的各種刁難，總能順著她的意找到一個妥貼的答案。她記得他回答的是，『好，我會等妳一萬年，等妳回頭——』

沒想到，才一個月，他就……

『怎麼?妳希望他失去同居女友後還失業?最毒婦人心!』翠屏說話一向直,一口煙也直直的噴到王明嫣臉上,她嗆了口氣,淚水差點爬出眼眶。

『哦,他活得好,就好了。我也比較沒有心理負擔。』話雖這麼說,想起情人被自己拋棄了,竟像個沒事人,活得好吃得好心情好,心頭一陣酸,好像被人用稀釋了的鹽酸沖洗過似的。

『他有女朋友了?』

又是隨口一問。不可能吧!?邢正平二十三歲時認識自己,口口聲聲向她保證,她是他生命中的第一個女人。他花了二十多年的時間才遇上她這麼一個百分百的女孩。難道他在一個月後就找到第二個百分之百的女孩?以他的溫呑個性,不可能、不可能……

『好像是哦。聽說,他上網找到一個E-mail情人……』翠屏說,『才在唸大學的樣子,看照片,聰明又漂亮,我們部裡頭的同事都笑他老牛吃嫩草——』

太不給面子了。王明嫣此時的內心交戰竟然比決定跟邢正平說再見的那一刻還激盪。誰都可以看見她的臉上扭曲的憤怒。

『心情不好啊？』翠屏繼續吞雲吐霧，嘲謔的說：『當初妳和他分手前找我商量，怕他受不了會自殺，我曾經告訴妳，男人啊，妳主動跟他說再見，他很快會找到人塡補空缺，如果是他主動分手，沒有第三者，他身邊的空位才會留久些。再說邢正平除了不是那麼一表人才，平均也還在六十分以上，有房有車有工作，不會找不到年輕女孩……』

啪一聲，王明嫣把行動電話收進皮包裡。

『別再說了！』她再也顧不得風度，丟出一張千元鈔票給服務生。『我買單！先走了！』

『妳要去哪裡？』她激烈的反應教翠屏大吃一驚。

王明嫣沒有回答，冷得像冰塊一樣，穿著細肩帶超短洋裝的身影被黑夜迅速吞噬，

翠屏還來不及做任何的反應。

半夜兩點了。雖然是夏天，子夜的風仍然吹得明嫣直發抖，惡劣的心情尤其使她感覺到，周遭的空氣已經降低到冰點。

邢正平竟然還沒有回來！

他一向是個準時歸巢的男人，服務的公司也是個中規中矩、禁止員工應酬的公司。

十點以後回來的機會頂少，從前她和他住在一塊兒的時候，她還嫌他無聊，『怎麼下班後只知道回家，難道人生一點其他的趣味也沒有？』當她第一次聽到『男人不壞，女人不愛』的理論時，還覺得此論深中她的心意。邢正平就是連那麼一點壞都沒有，認識五年，同居四年，始終讓她沒有勇氣答應他的求婚，他，根本缺乏踢臨門一脚的能力，也就是說，她怎麼想都不知道當邢太太會有什麼比現在好的？

王明嫣像一支悲傷的蘆笛，任風吹灌，不自主的發出哀怨的聲音。他一定是像翠屏所說的，和一個年輕的『妹妹』談戀愛去了，才會徹夜不歸。她猶豫了一會兒，決定上樓去。還好管理員睡了，否則，看到她回來一定很驚訝：『王小姐，妳不是搬走了嗎？』她搭了電梯，回到熟悉的房子裡，在門口的鞋櫃尋找鑰匙——邢正平一向不愛帶鑰匙，必然放在那個老地方，可是，她想錯了，鑰匙不在那裡，而門鎖顯然是新換的，這使她的怒氣更加深了一層，啊，邢正平是不是老早就想到要防著她回來？

她搬走的那一天，他還像一灘爛泥一樣求著她：『門隨時爲妳開著……』一個月就變了？一不做二不休，她到附近猛敲鎖匠的鐵門，把睡眼惺忪的鎖匠硬找來開門。還好她的『地緣』關係還在，王明嫣想。

一打開門，她奔向他的電腦，果然，在他的電子信箱裡（還好他的電腦密碼沒有改變），找到很完整的『姦情』檔案，那個女孩剛開始寫的信是『邢大哥』，後來變成『親愛的邢大哥』，後來又變成『親愛的』，後來更離譜了，直接叫他『小狗』——這怎麼可以，小狗是她爲他起的綽號啊，他這個沒良心的東西，一點也不尊重她的『智慧財產權』，馬上當了另一個女人忠心耿耿的小狗！她氣得把她沒帶走的那只水晶花瓶（兩個人一起去義大利時買的）狠狠扔到牆上，看它跌個粉碎。

不久她聽見鑰匙轉動的聲音，他回來了，還有低微的講話聲，從門縫中隱隱透了進來。莫非，他還在半夜把那個女人帶回來？邢正平，我從來沒想到你是這種好色之徒，好，好，這些年來，我看錯你了！

她看到了邢正平，一個人，她想她聽錯了，只有一個人。

『小偷！』邢正平大呼。

『我啦。』她暫時鬆了口氣，但看到他還是有氣。

『妳來幹嘛？』

她見識到了，這個男人從來沒這麼粗聲粗氣對她的，在分手以前。

『來看你有沒有帶妹妹回來。』

『有沒有關妳什麼事？』邢正平的口氣更加冰冷了。

『原來你老早就有第三者！』她含恨說。

『妳不要血口噴人！』邢正平說：『是妳有第三者才搬走的，是妳先無情無義的，妳三更半夜來到我家怪我！』

『你跟你的電腦情人老早有來往了對不對？我還沒走前，已經暗通款曲了對不對？』

『我是本來就在網路上認識的……』

『我就知道，原來我搬出去，正合你意！』

『妳聽我說完行不行，本來只是網友，我失戀了她來安慰我，所以……喂，妳都已經另結新歡了，認識一個只會煮飯的男人，妳也當寶！憑什麼來偷開我的家、我的電腦，我爲什麼要跟妳解釋這麼多？妳給我出去！』

『你說什麼，再說一次！』

『妳給我出去！夠淸楚了吧！』

王明嫣回到家，天色快亮了，她睜著眼，始終睡不著，除了不甘，還是不甘，她曾

經爲了邢正平學過做菜，模仿他媽媽煮的味道；邢正平曾經說，永不分離，沒想到一下子就變了心；她跟邢正平在同一個辦公室時，總是幫笨手笨腳的他很多忙，他簡直是她帶出來的，怎麼可以這樣對她；他叫她滾的樣子，好慘絕人寰啊！

最悲哀的是，她的現任同居男友阿蘇，竟然沒有睡在床上，他到哪裡去了呢？昨天他才說，會爲她死的，昨夜看她沒回來，他就風流去了？王明嫣看著空空的床上凌亂的被單，腦海裡浮現了一幅可怕的畫面：阿蘇一定帶了女人回來，現在，他把昨夜同床打鬧了一整晚的女人送回去了。

好啊，連阿蘇也對不起她。

她到了廚房，像隻獵狗一樣，嗅了嗅廚具的味道。在美國出生的ABC阿蘇在一家大飯店當主廚，家裡的烹飪道具都很齊全，雖然阿蘇很重視廚房的清潔，但她還可以聞出昨夜他煮的菜的味道，顯然他烤了一道『香檳蘋果派』，當初阿蘇追她時，就是每天邀她來吃他特製的蘋果派——蘋果可要泡在香檳裡二十四個小時。她打開冰箱，沒有發現蘋果派的痕跡。黎明還睡不著的人，想法總是特別繁複，她想到了，阿蘇一定拿蘋果派送給新的女友。她不過告訴阿蘇，她跟翠屏約，要過午夜才回來，他就做這種事，她活著好沒意思！

王明嫣想到自殺。阿蘇的瓦斯大烤箱可以派上用場。那個舊式的烤箱稱得上是古董級了，要先開瓦斯，再拿火柴點火。舊式烤箱放在公寓裡有點危險，但阿蘇說他用慣了，回台灣時特別從美國把老母的烤箱運過來。王明嫣不甘兩個男人都在她的想像中如此肆虐，她一定要讓他們後悔！那個烤箱，正好拿來結束她如花似玉的一條命！

她把瓦斯打開，沒有點火，就把頭探進去，猛吸一口難聞的臭氣……但就在她還沒昏過去的那一刹那，她，看見一隻大號的蟑螂，爬上她的鼻頭。她驚叫一聲，趕快退出瓦斯烤箱，下意識馬上把瓦斯關了，窗戶打開，一個人撫著胸口喘氣後，只想要找個東西打蟑螂。

看到蟑螂再度出現在面前時，她的手軟了，是牠救了她的，她豈可恩將仇報？她不想死了，只想睡一大覺。

阿蘇吻醒她時，正是週休二日的星期六中午。『你去哪裡？』她虛弱的質問。

『咦，妳忘了嗎？我的朋友明天結婚，昨天開單身漢派對……』

她一定給邢正平氣忘了，她想，又闔眼進入夢鄉，枕在他粗壯的手臂上，睡得好香甜。

出路
沒有一個迷宮沒有出口，
沒有一段愛情沒有出路！

87.12.B.B

難捨難分

愛情最不美好的時候，總是出現在分手的時候。

有個女人結婚不過兩個月，男人就有了外遇，才剛剛聽完結婚進行曲就必須面對曲終人散，任誰都不甘心。她不願離婚——她因爲懷孕才結婚，心想總不能讓孩子還沒生下來就沒有父親，於是忍著撐著，睜隻眼閉隻眼，一廂情願的想把日子拖下去。

男人的心急倒是出乎她的想像，鐵了心要趕快和她離婚，所

以她的包容在他看來反而像是一塊嚼過的口香糖黏在他的鞋板上，欲除之而後快。他每天準時打電話到她辦公室和她談離婚的事情，她不接，他就一直打，打得她無法工作，打到她全辦公室同事都因她的事而雞犬不寧。

結婚時，他用她公司的汽車優惠貸款買車子，談離婚時他『一時心急』，用那部車子追她撞她。女兒出生後她簽字離了婚，只帶了女兒，離開那間她也付了一半款項的傷心公寓。

一個人撫養小女兒，男人大概以爲，她沒主張權益，那就算了。

我認識這個男人，比這個女人早些。眞實故事是我後來才聽到的。任何故事換了敘述者，旁人收聽到的訊息就不一樣。男人曾拿著女兒的照片感性的説，他對不起女兒，對不起前妻，用一種『情非得已』的表情感嘆世事無奈，他説是愛情的錯，誰教他要愛上下一個女人，他也無能爲力啊！雖然在下一個女人變成枕畔合法的女人之後，他發現，合法的女人不如當初那麼有吸引力。

坦承自己犯錯的男人楚楚可憐，我曾安慰他，逝者已矣。但我不知道，『逝者』的眞實狀況是這樣的。我自此明白，每個人談起糟透的戀愛、傷人的關係，都成了『羅生門』的主角，用的只是一面之詞。

提起此事女人至今仍恨。恨的不盡是婚姻的失敗，而是男人取走房子、取走車子，不養孩子，不付半毛錢，好像純是爲了佔她便宜而同她結婚的。還好天下女人大多有此度量：恨這男人，卻還愛著流著男人血液的孩子。

在我看來，在婚姻中愛上第三者這件事，也遠不如那種吃光抹盡、不給自己曾愛的人設想來得可恥。愛情也許是會作弄人的，愛上一個人，往往非人所能控制，但爲已死的愛情善終，如果有能力，似乎應該做些補償。

雖然，物質上的補償永遠塡不了別人一顆破裂的心，但總比空言罪惡感來得實在。至少，情不在，義在。

我身邊所見所聞離離散散的故事何其多。我欣賞的是，在一切無法挽回之後，至少願意讓對方好過些的人。

畢竟，兩人就是沒眞正相愛過，也確實相處過。好歹爲對方想一想。別教他又孤又寒又恨你寒酸又沒品。雖然分手總是兩敗俱傷，不管誰非誰是。

雖然分手時，不管怎麼補償，對方一時很難百分之百滿意。

比如，我認識一個男人，除了感情，他對前妻盡仁盡義。他捐出一切，轟轟烈烈換取人生自由，自以爲無愧了。可是前妻還不斷追蹤他的行蹤，像當年調查局在追查匪諜及其黨羽一樣，過了數年才罷手。

或許這個例子還算是好的。社會版上不是常出現丈夫發現前妻有新歡，手刃眼中釘的大小案子嗎？明明是簽了『男婚女嫁各不相干』的白紙黑字，分了卻難捨。

我最害怕有『寧爲玉碎，不爲瓦全』性格的人，他們常連瓦也都是要碎的，品格未必如自己想像清高。自己雞鳴狗盜卻篤信『烈女不事二夫』的，大有人在。有些人，自信心和自尊心都不足，獨立性也奇差，自戀的程度卻高得離了譜，切莫跟抱著『逆我者亡』這種佔有慾的人談戀愛。

因被人佔有、管得牢而感覺幸福的人卻也大有人在。在咖啡廳偷聽一群已婚女子聊天，偶爾還可聽到女人沾沾自喜說：『哎呀他管我管得才多，不許我穿迷你裙，連男同事打電話來也不行……』

方才舉的例子，碰巧離棄的都是男人，只是巧合，可不是說，世上唯有痴情女和負心漢；負心女和痴情漢可也不少。

無論如何難捨難分，在熱戀時感覺如痴如狂，在愛情與婚姻無以爲繼時，就變成醜陋的糾纏。

『留不得，捨得。』從前作讀書筆記時我曾記下這句話，眞是大智慧。

對愛情來說，變是唯一眞理。但奧妙的是在人生中我們願意承認，世事無常，對感情卻多了幾分傻勁，堅持著不離不棄，至少，對方得對我不離不棄。

儘管，大多數的紅男綠女都會在嘴邊掛著：好聚好散，我們耳邊聽到的小道故事，都還是好聚不好散。

聚，靠的是發自本能的吸引力。散，光靠本能是不夠的，多少還要不少智慧，或者還需許多讓步，還要身心健全，願意東山再起。

總得明白，感情走到難堪處，是越想挽回，越難挽回，若不愛了，渾身解數耍得再精采，看在冷血的人眼裡，只像一隻街頭雜耍的猴子。

聚的時候難捨難分，是悲喜交集；散的時候難捨難分，是愛恨交加。一樣難捨難分，偏偏聚時看不出一個人的『愛情品格』，散時才見眞章。有品的人，無情時也把義字留著，即使討厭一個人，不必趕盡殺絕。

對戀愛來說，回憶彷如照妖鏡。散時如能散得漂亮，那一段感情，至少值得追憶，當激憤的心情遠去後，還可以打上六十分。

我曾聽過一個很感人的故事。

有一位畫家的妻子，忽然在婚後二十年告訴畫家說，她找到一個她心目中的好男人，要和畫家離婚。畫家很訝異，也有點生氣，但他更好奇；他的妻子到底可以找到什麼好男人？見了面之後，他竟也覺得，眞是個很好的男人，錯過可惜的男人，於是他同意讓妻子另覓第二春。對問起此事的旁人說前妻的眼光不差，而那人眼光和我一樣好，選擇了她。

過了幾年，前妻和那個男人又離了婚，回到他身旁。好事者來問，他的說法則是：她還是有好眼光，相較之下又選擇了我，難道我不該高興麼？

這樣的大度量，聽起來有點假。不過人們會覺得感動的，總是故事中描述人性的寬容面，而不是小鼻子小眼睛的那一面。

這個故事給我的啓示是：萬一愛有萬一，懂得自我安慰，就可以自圓其說；自圓其說，就不難面對他人來解說。

失去了感情，還來懷疑自己的存在意義，是賠了夫人又折兵，如果又花太多時間來暗罵、復仇或口誅筆伐，到後來便是自己和自己過不去。所謂的心靈創傷，常是他人只削了一刀，而我們心中自有吳剛，不斷的砍伐那棵想要復原的桂樹。

愛的淩遲

有些人總感覺自己受命運捉弄，被愛凌遲，在愛中被愚弄。

因為我們沒有在最正確的時間付出承諾，say yes！也許我因為一時的自尊、面子、道德、環境、理想、感覺不對；我們不能說，是的，就是現在，我愛你，我要你。

也不純然是我們錯過時間，而是時間錯過我們。

或者是不夠成熟；在當時，就是沒辦法說，我們兩個人那麼相配，就作個決定吧。

我就是要狠狠跟著你一輩子，將來會不會後悔，管他的。

現在的感覺是後悔、或懺悔，或來不及後悔想起當時不是惘然，就是悵然。

是人心犯賤，沒得到的才比較好，還是本來那個沒得到的就比較好？這是個沒有答案的問題，總之我們沒有勇氣選擇、或錯過原本應該好好愛的那一個人。

沒有捉住很好的timing，像看櫻花沒有捉住時間，只看到落花委春泥，或者連個花徑都沒踏到，只有惋惜。

衆裡尋他千百度，懂得正是那個在燈火闌珊處的人才是最愛時，已經不可能，或已經沒力氣愛，已經辜負了大好時光。如果早一點多好……偏偏就是在這個時間，才領悟到今是而昨非。

有個自認為條件很好的男人說，他總是遭到同樣的命運捉弄；在二十六歲時，一個很好的女孩，他打算『有朝一日』拿來當老婆的女孩，對他說，我要結婚了。他還打算在花叢中多玩一會兒，再來對她說，就是妳的……沒想到，她的最後通牒只是告知，不是個問答題，他連回答的權利都沒有。

三十六歲那年，他又被命運玩了一次遊戲；自以為感情穩固的他，忽然又被女友告知，我要結婚了……

『為什麼不嫁我？』他天真的問。『你從來沒有提。』女人說。『我現在提了。』『來不及了。』

本以為要以事業為先，『匈奴未滅，何以家為』啊……

他說，總是被緣分捉弄。

應該說，是被時間捉弄。他又說。

我說，是被自己捉弄。

我們總以為，那個『權柄』是握在自己手中的。我們太有自信了，所以情人狠狠的決定消滅我們的自信。

生命中最美好的東西是不能等待的。好花易謝，假假的塑膠花常開。你要哪一種？

等這一天已經很久了，終於等到了他的邀請。

和他一起出遊，是她從十六歲起就深藏在心中的願望；但在那個充滿禁忌的年代，連夢想著他的擁抱都讓她有深深的罪惡感，何況是不畏人耳目的在光天化日之下，親親密密地陪他走一段呢！

事隔多年，兩個人竟然在一家股票上市公司發放股東大會紀念品時相見了；於是，一起到附近咖啡廳裡吃了商業午餐。

他遲疑了很久，問她有幾個孩子？

『妳還沒結婚，原來妳還沒結婚……』他驚愕的說，她看見他眼睛裡閃過一絲罪惡感。

是他的錯啊，沒錯。難道妳……妳在等什麼？他想這麼問，她想。

『這些年來，妳就這樣一個人過？』

『從我媽去世以後，我就一個人過日子，反正也很習慣了，沒什麼不好。一個人很自由啊！』

她看著窗外綿綿交織的春雨，感覺心情像一條濕漉漉的毛巾，擰也擰不乾。『身邊的朋友，結婚了，也很多離婚，還咬得兩敗俱傷；不然，就是大家忍氣吞聲過日子，他們反而都

在羨慕我。』

『說得也是，結婚沒什麼好的，責任很重，壓力很大，上班面對的是工作壓力，下班面對的是家庭壓力，男人眞命苦。』

他變了，就連心情都像一面被青苔暗自侵蝕的斑駁牆壁，過去，在年輕的歲月裡，不曾聽見他發出一絲象徵軟弱的嘆氣。

他早就結婚了，她知道，是從以前唸女師的朋友那邊聽來的，但是她沒有探究，他到底娶了誰。

從他的改變可以知道這些年來他確實承受了很大的壓力，原來男人也是不堪老的，他的兩鬢已有隱隱的霜白，唇的線條不再像大霸尖山的稜線一樣剛強凌厲。

『家庭幸福就好了。』

她替他補充說明。

『我太太……去年去世了。』他輕聲說。『這些股票……』他看著兩大袋的紀念品一眼，不太好意思的說：『都是她買的。』

『怎麼了？』

『不治之症。』他低頭扒著飯，不想多作說明。那麼，她也不問了。

竟然有那麼一絲雀躍的心情在她心中跳動著，彷彿被堅硬岩石阻擋很久了的溫泉，等待攜著醞釀許久的熱度，和春天的微風與陽光見面。

漫不經心的和他敘舊，等的其實是他最後一句：

『春天到了，要不要一起去看櫻花？』

『看櫻花？去哪裡？』她以爲他會邀她去阿里山。他比她想像中來得浪漫：『去日本看過櫻花嗎？』

當然要去。即使因爲請假被辭掉工作也要去……她一邊壓抑心頭壯烈的念頭，怕他看出她澎湃的心緒，怕的是自己反應太過敏捷，有失她爲人師表的風範。

『妳還在教書，有春假吧。』他說。『爲什麼還要教？不累嗎？』

是可以不再爲人師表了，給那些乳臭未乾的孩子吵了這麼些年，老早沒了耐心，也用盡了她的愛心，現在覺得看股票指數還來得有趣些。但她害怕有一天，這個世界完全不需要她的付出時，她會像一個隔夜的氣球那樣生趣全無。

你的孩子怎麼辦呢？她的心思細密，想問，卻沒問。關她什麼事？她怕一問之下，她還得帶著他的孩子看櫻花。

『妳帶的東西眞多啊，才四天三夜，妳……』

他看她拎著一個大皮箱出現時，眼睛瞪得好大。

她有點後悔，相較之下，他那只隨身小旅行包顯得他像個旅行的行家。怪自己想太多了，每天爲自己準備一套衣服、一件外套、還有配成一色的手套和帽子，還有各式各樣可能派上用場的藥品，將一個大皮箱塞得滿滿的。

『對不起……』

『還好可以托運。』他擠出了一個笑容。

在飛機上，她看他閉目養神，一時之間不知道要做什麼，也稍稍闔了眼回想從前，那一次出遊是什麼時候？好像是遙遠而不可記憶的年代，好像還有恐龍會出沒的年代似的。她一生做過最大膽的事，是在唸師範畢業的那一年，受他之邀到陽明山，兩個人還是搭著公車去的，等了好久好久。

大家都說她太乖了，乖得不知道怎麼樣形容，她也以自己永遠循規蹈矩爲傲。她是受日本教育的父親和母親所教養出來的好女兒，一生未曾踰越，除了那一次……

明知道在那麼嚴格的學校，還對舍監說謊，表示星期六要回家，卻和一個男生跑到陽明山去……如果她的爸媽知道了，會把她絞死在櫻花樹下以示衆人，並爲自己敎女無方拿武士刀自殺謝罪。

他大她二歲，正在唸大學，他的表妹是她同學。他在表妹家一看到淸秀害羞的她，開始寫信給她；學校舍監開來會偷看信件，他的信就都由表妹轉達。通信一年多後，參加一次他們學校的音樂會，她看到他在台上拉小提琴那種如癡如醉、渾然忘我的樣子，心臟差點跳了出來。就是他了，她對自己說，她期待的是一種『死生契闊，與子成說，執子之手，與子偕老』的愛情。當然，這麼沈重的誓言，也得放在一個值得的男人身上，他就是那個值得她放一生淒美至愛的男人；從那個時候起，她發誓用一輩子的貞潔去愛他。

她至今未曾違背誓言，沒有下一個戀人了。這些日子以來，儘管有人介紹對象給她，在她心頭咿咿呀呀的仍是那一首他在台上拉的『流浪者之歌』。

陽明山的櫻花稀稀落落的開著，他牽著她濕冷的小手走在柔軟的山泥上。她害羞地甩開了他一次，後來還是接納了他厚實的手掌。第一次的牽手，還有，第一次的初吻，他忽然指著一株盛放的吉野櫻說：『看，多美！』調皮的搖起櫻花樹來，櫻花被迫落得她滿頭滿臉，在她不知所措時，他抱著她的腰，狂熱的吻起她來。

『不，不，不……』她推拒著。他似乎沒聽見，企圖心旺盛的用舌頭撬她的牙齒，想要吸取掉她所有的生命汁液似的。

『不！』他沒聽見，不理會她微弱的反抗。她怎麼辦呢？

她不想在這個時候丟掉她的初吻。初吻已意謂著她的貞潔和良好的家教，她想起父母親嚴峻的表情──在那個時候，她從沒想到自己竟然是父母親做愛之下的產物。

怎麼可能？父母在她面前不曾互相碰觸過彼此的肌膚一下，也未曾在兒女面前對彼此含一絲笑意，兩個人看來都是神聖而不可侵犯的。她眞的相信自己像耶穌從聖母腋下出生一樣來到這個世界；母親總是說，女人笑到露齒是淫蕩，如果給男人怎麼樣了，不如投河自盡，林投姐的傳說就是最好的例子。

『不！』趁著他喘氣的空檔，她情不自禁的給他一巴掌，打碎了春天山中的幽然寂靜。她狂奔下山，一路沒命跑著，把他拋在身後，發誓不再見他了，他竟然這樣『侮辱』她的尊嚴。

回宿舍後，她努力的刷牙洗澡，企圖把他的氣味洗盡；室友都回去了，她一個人躺在地板上看著天上的上弦月發呆，夜的光在她的手臂上塗得雪白如脂，她看著自己玲瓏的腰身，撫著自己燙熱的臉龐，心仍跳著，狂亂的想著他的擁抱和喘息。怎麼回事啊，怎麼……

之後，有一陣子她覺得後悔了，打他一巴掌做什麼？眞是有失風度。也許他吻她，只是愛她。

她低聲下氣的對她的同學、他的表妹提出要見他的想法。他來了。她說，對不起。

『沒關係。』他冷冷的。

他還是很有風度的請她看電影。看完電影，走在他的校園裡，在一個露溼青草地的夜裡，他攬著她的腰，坐在山茶花樹下，他深情款款的眼神讓她感覺，是不是有什麼事要發生？她閉起眼睛，感覺到他的臉貼近了，熱氣呵在她臉上；這一次，她就讓他吻她吧，她偷偷查過書，接吻是不會懷孕的，沒關係。可是，他不只要吻她……他的手伸到她的下腹部，悄悄前進著，摸進了她的裙子裡，她從未給任何人接觸過，甚或她自己也不好意思觸摸的一個角落。她整個身子打了個寒顫！不！不！

他竟然沒有感覺她的溫度冷卻了，一味享受她的吻，探索她的身體。

『不要！』暗暗燈影下，他的眼神像一團霧，失了神似的，作嘔的感覺來到她心中，他把我當成妓女嗎？

她無法遏止這個想法像黴菌一樣的蔓延。

『走開！』她狠狠推開他。

『要再給我一巴掌？』他似笑非笑的說。

『我要走了……』她又發足狂奔而去。留他一個人，在冰冷的風中想著，他犯了什麼錯？

男人的記性沒有女人好，在愛情中的思索也沒有女人複雜；他只認爲他不受歡迎。那麼，她一定不愛他。她不愛他，他那麼年輕優秀，何必委曲求全，他還有別的女人愛，肯定是的。

『這裡有一千株櫻花，從江戶時代就留下來的櫻花，壯觀吧！』走近上野公園，他就拿出照相機拍照，沒有時間牽她的手。還是他根本不想牽她的手？盛裝的她有點委屈。

盛裝的她默默跟著他；一千株櫻花，一陣微風吹過，就是一陣沾衣不濕的櫻花雨，每一個人都陶醉在花的雪景裡。但人未免太多了些，至少有一萬人在看這一千株櫻花，『卡瓦伊……』日本女人做作的尖叫聲，還有日本男人唱卡拉ＯＫ的聲音破壞了賞花的情調，她皺皺眉頭，端莊的跟隨他，一不小心，兩個人就會迷失在人陣裡。

好不容易到了一個不再和人群擠來擠去的地方，當然是沒有櫻吹雪的地方，不美，但清閒。

他忽然說：『要不要幫妳照一張？』

她才笑了，心滿意足地微笑看著他的鏡頭。

晚上，吃懷石料理、喝了清酒，在箱根的溫泉旅館裡，她一直想著，等一會兒會發生什麼事，變得食不知味起來。

『不好吃嗎?』

『不是，不是……』多少年來，生疏並未隨時光老去。要不要告訴他，他是自己的第一個男人，也是最後一個呢?要不要告訴他，她的愛，一直像是櫻花一樣壯烈?要不要告訴他，好想再聽一次他的『流浪者之歌』?不是不想談戀愛，也不是一直想保持單身，只是錯過了。好多年光陰，不知不覺地過了，爸爸生病、媽媽生病……兩老過世，她有了個人的生活，沒有發現自由，只有發現孤獨，早知如此，當初什麼都給他，跟他到天涯海角，寧可被父母罵放蕩，也要九死不悔……

她望著外頭的月色發呆著，躺在榻榻米上的他竟然發出鼾聲。難道他邀她出來玩，對她竟不存一絲『邪念』?

她該怎麼辦?

她想了很久很久。鼓足勇氣，往他身上靠過去，從他的呼吸中還可以聞到發酵的清酒的甜味。她低頭親了他的額，他忽然伸出手，緊緊抱住她的腰。

兩人在月光的浸潤下相看兩無言，凝視了一會兒，她把身子壓在他的身上，用盡全身力氣也要和他黏在一起一樣……

他沒有反應。

『對不起，我……我幾年前，有了糖尿病……我恐怕，不能給妳幸福，我眞抱歉……妳不介意吧。我想應該誠實的說出來……』他低聲說。兩人又凝視了一會兒，他閉起眼，不久她又聽到他的鼾聲，平穩而低沈如蛙鳴的聲音，讓她感到那麼孤獨。原來記憶中的熱情像櫻花，過了季節就沒有了。

暗夜中她嘆了一口大氣。

這一年，她五十七歲，他剛邁入六十大關。

感覺

愛是一個陷阱。它一旦出現，我們只看得到它的光，卻看不到它的陰影。

……以前我也曾談過幾回戀愛；那就像上了麻藥一樣。一開始，讓人全然沈浸在飄然若仙的快感之中……

——Paulo Coelho

最近，當我寫到或說到這兩個字時，我的心裡會有隱隱的不安。

我『感覺』……

我應該繼續信任我的感覺嗎？這兩個字，我一直用得太頻繁了，頻繁到我『感覺』

自己被它主宰，被一個不太確定的，只是光和影的東西主宰著具體的人生。

感覺，有時是一個藏在心裡的暴君，和夢魅一樣，你無法掌控，這一個晚上，你要做的是美夢還是噩夢？

我開始意會到一個人的『感覺』真的是很可怕，是因為最近主持的一個電視節目，為失婚男女開辦的第二春節目。

以前有人說，不幸福的婚姻各有各的理由，幸福婚姻只有一個理由。每一個婚姻專家和心理學博士都在為世人尋找那『一個理由』，但是，每個人都找到了不同的理由。有些人說，是睜隻眼閉隻眼，是忍耐；（忍耐真的能幸福嗎？我想，只能維持表相的幸福吧！）有人說，是良好的溝通；（事實上，有些觀念和『感覺』是越溝越不通的，溝通只是取代忍耐成為一個比較理性而現代化的字眼罷了。）其實，如果『感覺』真的不對了，任何溝通良好、打落牙齒和血吞的愛情都會變成不幸福，不快樂。

不幸福的婚姻只有一個理由，就是感覺不對了。

幸福的婚姻也只有一個理由，就是感覺對了。

感覺，是一個政策主張常常搖晃，但又有頑固意志力的暴君。我們身不由己的為他的『感覺』作出各種我們也不太理解的反應。

感覺這兩個字，範圍夠模糊，指令卻夠清楚。

這世上有一些光怪陸離的婚姻或愛情實例可供參考。我聽過：有一些女人，她們的丈夫出去買早餐或買報紙就沒有回來；有一些婚姻，看來很是平安美滿，也沒有任何第三者的破壞，卻已經變成了牢籠，只是在等待著其中有一方說：我們算了吧！那個『被算了』的人常是措手不及的，他們是屬於『感覺』比較遲鈍、比較能夠吸納和消化不良感覺的人，搞不清楚出了什麼問題。有一些人努力為自己找為什麼自己會發生外遇的理由，大部分人歸罪於對方的過失，其實唯一比較負責任的理由是：感覺不對了，那不是我要的婚姻，他不是我想像中的那種情人。

更糟的人克制不了自己的感覺——他們出手了，感覺不對時，就把對方當世仇口誅手戕。

感覺，說起來很簡單，其實很複雜，還包含你的遺傳基因、荷爾蒙、腦袋裡各種腺體的運作……你的身體裡有一座秘密的工廠，悄悄的生產著你也不清楚的貨品，要你的情緒把它們銷售掉。

在情緒上養尊處優的現代人卻越來越不能消化惡劣的感覺產品。所以我們很容易在社會版上看到了各種情殺新聞，或情鬥新聞。我們看到了女研究生因為談戀愛的『氣持』（日文）不好而把閨中密友殺掉，也看到了十四歲的女生因為懷疑昔日同窗和男友有染而砍了她八十六刀；看到了各種前夫殺前妻的新聞，（當初不是寫好男婚女嫁各不相干嗎？）看到了名女人情關難過，動不動就要用媒體為自己的『感覺』取得公道。

讓大家『感覺』都不太好。

這是一個感覺混亂的時代。我們的外表理性了，但我們讓感覺在心中亂跑，有些人則讓它像脫韁野馬一樣跑出來撒野。感覺是個難纏的東西，你驕縱它，它騎在你頭上主宰你；你壓抑它，它鐵定讓你不快樂，有一天，像江水決堤。

試著想想那些在早餐時間出門買報紙就沒有回來的丈夫，他們在途中想了什麼？他們有的人連身分證都沒帶，顯然不是出於預謀，也許只是因為那天早晨清新的空氣讓他想到了自由，也許只是因為一片掉下來的落葉掉在他頭上，提醒他餘生不多，要及時把握。

不必有任何的破壞者。感覺就是個口才最優良的教唆犯。

我們的腦袋想的沒有感覺清楚。而且我們的思考沒有感覺微妙，感覺的力量遠超過我們的想像，計畫中的人生像水壩，一旦有了一點點縫隙，感覺的涓滴水流就會慢慢流穿它，挑撥它，忽然間，水壩可能就會潰決了。

有多少個戀愛是被『感覺』不好的理由終結的呢？我問自己。

恐怕都是。其他的『不好』，都是在感覺不好之後才被設計出來的，是『欲加之罪，何患無辭』。

有時你感覺還好，對方已經不好了。有時你不好，對方還一廂情願的好得要命。

我們被自己的感覺主宰，卻都無法信任別人的感覺；對自己的感覺反應敏銳，對別人的感覺反應遲鈍。自己無理取鬧希望得到驕寵，對方無理取鬧難以忍受。

而感覺本來就常常在無理取鬧。

星期天，報紙竟然沒送來，他想出去買份報紙。

『我幫你買。』妻子說：『反正衛生紙也沒了，蛋也沒了……我反正是要出去的……』

『不，我去買就好了。』他堅持著。

外頭陽光很好，是初夏開始親吻城市的柔軟天氣，他想出去走一走。最近工作很忙，一直在加班，孩子們一個在考高中，一個在考大學，家裡也緊張得透不過氣來；和太太之間，本來就是他說A，她答C的，多年來牛頭不對馬嘴的應答，也習慣了，他一直倚賴著她的賢慧與勤快過活，也知道自己很幸福了，但最近太太的嚕囌越來越頻繁，使他擔心她是不是更年期太早來臨。

『管他呢！』去買個報紙再說。

風吹得他的臉龐癢癢的，他走到巷口，並沒有走進張媽媽的雜貨店。不知道爲什麼，報紙變得不重要了，他一點也不想看新聞。

有什麼東西在身體裡翻攪著，在他心裡的那個胃中，好像有滿溢的胃酸，想要衝口而出，在初夏攜帶著淡淡草樹香氣的氛圍裡。

他的嘴裡哼著很久很久以前學吉他時最喜歡唱的一首歌：『Let it be』。

『Let it be……Let it be……』

他呆呆站了很久，像很久以前在等那個初戀情人到公車站般痴迷的站著。然後……

『他掏了掏口袋，忽然跳上一輛公車。』這是目擊者張媽媽唯一的兩句形容：『他沒有來買報紙啊，更沒有來買衛生紙……好像本來就要搭車出去似的，他穿著拖鞋……看起來很正常，不像得了失心瘋……』

『你去了哪裡？』

已經是深夜十一時。男主人沈默的踏進家門，家中燈火通明，他的岳父母、在警察局做事的小舅，和他認識的、不認識的親戚全都坐在他家的客廳裡，他們並沒有料到他會這麼『早』回來。

他的褲子上和拖鞋有淤泥，Polo衫上有未乾的水漬，他，面無表情。

『謝天謝地。』

歇斯底里哭了一天的妻子激動的抱著他，很久很久，他沒有看到她如此熱情而興奮的迎接他回家。

『你去了哪裡？』每個人都想問。『我以爲你被綁架了，在這裡等綁匪的電話……』小舅子以很職業化的口吻說，臉上有淺淺的失望，他這麼自動的回來，讓身爲警察的他英雄無用武之地。

『不要緊張嘛。』他並不想對那麼多人交代行蹤。『沒有人要綁我啦！我的總財產扣除房屋貸款不到五百萬……我只是忽然想……』

『爸，現在也有人綁錯人的……』等著考大學的兒子說：『被綁錯也會被殺的。』

『烏鴉嘴！』考高中的女兒拿著參考書敲哥哥的頭一記。

『你是不是有了外遇？』妻子在轉憂爲喜後發出了疑問。

『穿拖鞋去外遇？』他恢復了幾許幽默感。

『那你到底去哪裡？』

『沒有啦，搭車到陽明山，自己一個人……』他再不給一個交代，這些等他一天的人無法滿意的離去。他感覺到生活的枷鎖哐噹一聲更沈重的套在他的脖子上。

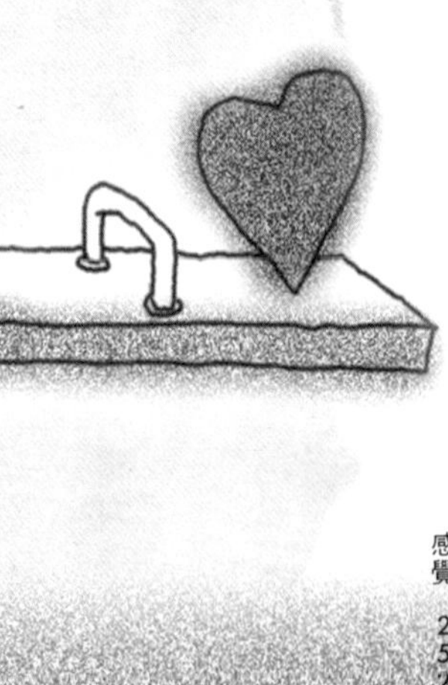

『爲什麼？』

他愣了許久答不出話來。『一定是壓力太大了，對不對，爸爸？』到底是女兒貼心，以人小鬼大的口吻來解圍。

『壓力在哪裡呢？是不是我給的壓力？』妻子又以緊張的口氣問。

『我累了，我想洗個澡，謝謝各位的關心。』他迅速的想趕走好奇的人群：『抱歉，給大家惹這麼大的麻煩。』

『到底去了哪裡？』這時巷口雜貨店的張媽媽也聞風趕到了：『如果是我們店裡的報紙沒有你要的，你儘管告訴我，不必去太遠的地方買……』

他把旁人的關心關在自己的小書房外。身

子癱軟在椅子上，徐徐喘了口氣。一早他莫名其妙的搭公車到了陽明山，然後坐在紗帽山腳下的公園裡，對著天空發呆，到了天色漸暗時，才偷偷掉下眼淚。他想起很多事情，小時候被爸爸打、第一次寫情書、第一次考第一名、第一次初戀和失戀、第一次也是唯一一次的求婚，想起想流浪的年少願望，想起所有不再有的感覺，無關傷心，但是值得掉淚……他並不『感覺』自己想回來，卻回了家。

那個晚上他在妻子沒發現的時候，又再度出走。

在夢中，他來到一個陌生的雪地，在河岸旁找到一間房子，有些人告訴他，冬天，這間房子會被雪淹到屋頂，一覺醒來，他會在裡頭像一隻被活活丟進冰庫裡的魚……

爲什麼會有這樣的夢呢？

他的『感覺』永遠沒有辦法給他一個明確的答案。

國家圖書館出版品預行編目資料

每個愛情都是出口／吳淡如作. ‥初版‥臺北市 ； 皇冠，1998【民87】
面 ；公分, ‥皇冠叢書；第2896種 吳淡如作品；13)
ISBN 957-33-1598-X 平裝

857.63 87016278

<註册商標第173155號>

皇冠叢書第二八九六種
吳淡如作品 13

每個愛情都是出口

作　　者—吳淡如
發 行 人—平鑫濤
出版發行—皇冠文化出版有限公司
北市敦化北路一二〇巷五〇號
電話◎二七一六八八八八
郵撥帳號◎一五二六一五一—六號
登 記 證—局版臺業字第五〇一三號
編輯督導—盧春旭
責任編輯—林吉莉
美術設計—王瓊瑤
校　　對—吳淡如、鮑秀珍、鄭文琦、林吉莉
製 版 廠—中茂分色製版事業股份有限公司
著作完成日期—一九九八年十月
初版一刷日期—一九九八年十二月
法律顧問—蕭雄淋律師、王惠光律師

讀者服務傳真專線：02-2715-0507
讀者服務E-mail：service @ crown.com.tw
電腦編號◎129013
國際書碼◎ISBN 957-33-1598-X
Printed in Taiwan
本書定價◎新台幣180元／港幣55元